包浩斯的
女性藝術家

45位被遺忘的女性紀錄

包浩斯的
女性藝術家

45位被遺忘的女性紀錄

Bauhaus Women：A Global Perspective

伊莉莎白‧奧托

派翠克‧洛斯勒＿＿著

蘇靖雯＿＿譯

典藏

國家圖書館出版品預行編目 (CIP) 資料

包浩斯的女性藝術家：45 位被遺忘的女性紀錄／伊莉莎白‧奧托（Elizabeth Otto），
派翠克‧洛斯勒（Patrick Rössler）作；蘇靖雯翻譯．
-- 初版 .– 臺北市：典藏藝術家庭，2020.02
面；　公分
譯自：BAUHAUS WOMEN：A GLOBAL PERSPECTIVE
ISBN 978-957-9057-56-1（精裝）
1. 包浩斯（BAUHAUS）　2. 藝術家 3. 女性傳記
909.9　　　　　　108019867

SEE 30

包浩斯的女性藝術家：45位被遺忘的女性紀錄
Bauhaus Women：A Global Perspective

作者／伊莉莎白‧奧托（Elizabeth Otto）
　　　派翠克‧洛斯勒（Patrick Rössler）
翻譯／蘇靖雯

編輯／連雅琦
美術設計／憨憨泉設計
行銷企劃／黃鈺佳

發行人／簡秀枝
總編輯／連雅琦
出版者／典藏藝術家庭股份有限公司
地址／104 台北市中山北路一段 85 號 3 樓
電話／886-2-2560-2220#300-302
傳真／886-2-2567-9295
網址／www.artouch.com
戶名／典藏藝術家庭股份有限公司
劃撥帳號／19848605

經銷商／聯灃書報社
地址／103 台北市重慶北路一段 83 巷 43 號
印刷／崎威彩藝有限公司
ISBN ／ 978-957-9057-56-1（精裝）
初版／2020 年 2 月
定價／新台幣 580 元

BAUHAUS WOMEN: A GLOBAL PERSPECTIVE by ELIZABETH OTTO AND PATRICK RöSSLER
Copyright: © 2019 BY ELIZABETH OTTO, PATRICK RöSSLER
This edition arranged with PALAZZO EDITIONS LTD
through BIG APPLE AGENCY, INC., LABUAN, MALAYSIA.
Traditional Chinese edition copyright:
2020 ART & COLLECTION CO., LTD.
All rights reserved.

目錄 — Contents

前言 —— Introduction

包浩斯（Bauhaus）可以說是有史以來最具影響力的藝術學校，它試圖改變藝術教學的方式，並從根本上重新思考藝術和設計在社會中的作用。在包浩斯處於重要地位的女性們，不論是以校內師生的身分，或是以藝術家或設計師的身分來看，即使是在創校已逾一世紀的今天依然受到極大誤解。《包浩斯的女性藝術家：45位被遺忘的女性紀錄》旨在藉由介紹包浩斯最具代表性的四十五名女性來糾正這種歷史的不平等，她們都是包浩斯的一份子，無論她們是學生還是教師。除了記錄包浩斯重要女性的生平與作品之外，本書還特別聚焦在那些將學校與整個世界聯繫起來的成員。

1919年至1933年間，包浩斯共招收了462名女學生，這段期間學校經歷了三次遷移，先是威瑪（Weimar），再來到德紹（Dessau）和柏林（Berlin）。換句話說，包浩斯大約三分之一的學生是女性，這比例在1919年到1932年間一直相當穩定。包浩斯並非當時唯一一所接受女性入學的藝術學校。當時的德國政體威瑪共和（1919-1933）將平等納入憲法，在這時期，培養女性才能是顯而易見的趨勢。然而這所學校在當時又有點與眾不同，不但允許男女學生一起在工作坊學習或在餐廳用餐，甚至都可申請校舍附近的學生宿舍「佩勒豪斯」（Prellerhaus），雖然只有少部份幸運學生能住進去，但對於世界各地尋求與父母不同生活方式的年輕人來說，具有極大吸引力。

包浩斯在第一次世界大戰後成立，第一代學生和師傅（當時被稱為教授）都曾體驗過那無可比擬的殘酷戰火；隨後幾年，威瑪共和帶給該機構及其成員具挑戰性和多變的環境。早期的共和國深受德國在第一次世界大戰的失敗所苦，貨幣價值劇烈波動使得商業幾乎

下：包浩斯樓梯間的編織設計師們。由上到下為：崗塔·斯托爾策爾（Gunta Stölzl，左）、流芭·蒙那絲蒂卡加（Ljuba Monastirskaja，右）、格雷特·雷卡茨（Grete Reichardt，左）、歐緹·貝爵（Otti Berger，右）、伊莎貝·沐勒（Elisabeth Müller，淺色花紋套頭衫）、羅莎·貝爵（Rosa Berger，深色套頭衫）、莉·拜耶-福爾格（Lis Beyer-Volger，中間白色領子）、莉娜·邁耶-伯格納（Lena Meyer- Bergner，左）、修斯·歐羅（Ruth Hollós，最右）和伊莎貝·奧斯崔希（Elisabeth Oestreicher），攝於 1927 年。

陷入停滯。在1920年代中期，這個國家的政治和金融狀態稍微回穩，而後者主要是受益於對外貿易。但美國華爾街股市在1929年10月的崩盤震撼全球，當外國資本停止流入德國時更造成毀滅性後果，隨著失業潮席捲而來的，是政治急速的兩極化。後見之明，納粹黨的崛起顯然是這場危機最可怕的結果，但當時許多人更擔心同樣快速增加的共產黨勢力，因為蘇聯似乎是地表上最大的威脅。

包浩斯反映出自身所處環境的眾多政治與社會層面。著名建築師沃爾特·格羅佩斯（Walter Gropius）於1919年創辦了這所學校，直到1928年離開為止，他花費近十年的光陰將之徹底打造。在他的領導下，這間學校從以中世紀共濟會和表現主義藝術為主的意識形態，轉變為包浩斯最著名的理想：藝術和工業技術的結合。在包浩斯剛成立這幾年，生活就像充滿各種神祕實驗的罕見美味大雜燴，滋養了學校為新的戰後世界創造藝術和目標的核心研究。在早期，約翰·伊登（Johannes Itten）也許是最具影響力的師傅。他的教學並未局限於純粹的藝術創作，而是融入了靈性和律動。作為拜火教（Mazdaznan）的信徒，伊登和他大部分的學生投入了這項從美國傳入，基於東西方靈性、冥想和祈禱的新興混合宗教。奉行者被要求凡事要正面思考、即使處在黑暗中也要擁抱光明、定期禁食，並保持茹素習慣——還好早期的包浩斯餐廳能符合這要求。

1923年夏天，學校首次舉行大型展覽——包浩斯在威瑪（Staatliches Bauhaus in Weimar），此時已可看出包浩斯基本意識形態已悖離表現主義。從格羅佩斯在前一年的演說以及1923年春天伊登的離去便可見端倪，因為伊登的表現主義美學已不再適合擁抱建構主義的包浩斯。功能主義和新客觀主義變成轉型為大規模生產的產品開發機構採用的指導原則。從木工和壁畫的工作坊以及廣告與編織課程等創造出有著特殊風格的傢俱（包括著名的鋼管椅）、壁紙、紡織品印花和平面設計等，使得包浩斯成為當時前衛的品牌。當威瑪市撤回對包浩斯的財務支持時，格羅佩斯在德紹找到了學校的新落腳處，並將功能主義的簡潔線條融入了這個專門打造的校舍，後於1926年開始營運。當格羅佩斯於1928年辭去校長職務時，包浩斯在這個政治左右翼歧異愈趨兩極的國家中，正處於人氣的頂峰。格羅佩斯的繼任者為左派兼親共產主義者的建築師漢斯·邁耶（Hannes Meyer），為了協助無法負擔昂貴的學習費用的工人階級，他將整

下：舉辦於威瑪林戌羅森（Ilmschlösschen）酒館的包浩斯派對，攝於1924年11月29日。

個學校機構的教育和產品加以轉型。在與地方當局和包浩斯內部發生嚴重爭執後，邁耶於1930年被迫離職，並很快地在尋求以史達林政權來建立新蘇維埃城市的包浩斯昔日學生，外號「紅色包浩斯旅」(Red Bauhaus Brigade) 的陪同下前往蘇聯。

路德維希·密斯·凡德羅 (Ludwig Mies van der Rohe) 是第三任也是最後一任校長，同時也是一位德高望重的現代主義建築師，在他的領導下，任何形式的政治活動都被禁止，建築教育也變得更加重要。儘管密斯試圖化解德紹市與包浩斯的緊張局勢，但在1932年，這個革新的機構再也不被這個對國家社會主義不利的城市所容忍，它被逐出自己擁有的建物。密斯成功地將學校遷址到柏林

上：學生在餐廳陽台上，攝於1931年。

的一間廢棄電話工廠，並試圖將其當作一所私立學校維持營運，直到1933年納粹取得國家政權，讓師傅們別無選擇，只能將學校解散以表達自己最後的自由，而非屈服納粹包括解僱所有外籍教師等要求。在此之後，在世界各地的包浩斯成員（大多數都是猶太血統或左傾份子）經常深陷困境，只能保持緘默或被迫流亡。

顯而易見的是，包浩斯的女性——這個為數不多，才剛從藝術、設計和建築領域嶄露頭角的小群體，在納粹主義的影響下，更難找到工作和避風港。無論她們在一戰後二戰前這段充滿活力的年代中取得多大的成功，她們都比同輩的男性更容易受到傷害。顯然，她們握在手中的成功與那些於今時知名度更高的男性同僚手裡的相比更為脆弱。此外，對這些女性來說，要在新國家提供的安定中或在二戰後重拾被摧毀的職業生涯，更是難上加難。

從現在回頭看，包浩斯的故事可以說是威瑪共和特有的性別、階級和民族融合的縮影。從其成立之初，包浩斯的國際視野不僅借鑒了歐洲傳統，更有來自地球另一端的思想，包括表現主義的原始主義，極簡的日本主義，以及被視為「美式」的效率。雖然大部分的包浩斯成員來自德國，但是有些教師和更多的學生來自歐洲更邊陲的國家，甚至還有些是從遙遠的美國和日本而來。此外，當包浩斯成員被法西斯主義撐到九霄雲外時，也使得包浩斯運動被迫進一步全球化，並在全球各地傳承包浩斯精神。

儘管包浩斯可以被理解成一個全球運動，但學校的歷史也可透過其女性份子的角度加以闡述，這是一種能更廣泛地研究藝術史的方法，由女權主義藝術史學家格里賽爾達·帕洛克 (Griselda Pollock) 首先提出。現今最全面的參

右：1928年佩勒豪斯的延伸（Extension of the Preller-haus），以歡送格羅佩斯的照片集「大事紀：在包浩斯的9年」（*9 Years of the Bauhaus: a Chronicle*）拼貼而成。

考資料是安雅・鮑姆霍夫（Anja Baumhoff）的《包浩斯的性別世界》（*The Gendered World of the Bauhaus*），其特別聚焦在該機構的內部政策上。鮑姆霍夫認為，早期包浩斯但凡帶有女性涵義的工藝，皆會被解釋為手工藝品，這種政策不利於女性。鮑姆霍夫進一步表示，儘管包浩斯聲稱招生和教育不會因為性別而有所差異，但其政策都由格羅佩斯和師傅委員會的「隱藏議程」主導，以減少居高不下的女學生數量。作為對策，一個特殊的「女性班級」於1920年成立，並很快就與編織工作坊合併，這是鮑姆霍夫所說的「柔性」領域，使女性遠離傳統男性眼中的「剛性」工作。雖然有幾位女性刻意選擇並成功地進入男性主導的工作坊，但其他女性還是在女性領域感到相當自在，因為這使她們得以避免與男性學生競爭。

鮑姆霍夫認為，包浩斯總體上似乎是一個「在性別上不是特別進步的教育環境」，因為它保留了「傳統的社會形式和價值觀……學校內部的階級制度揭露了一個充滿專制、權威、權力和性別不平等的網絡」。至於獎學金的發放主要是根據對特定女性藝術家的傳記作品研究，這使我們對女性在包浩斯中的角色的理解變得微妙。在當時，包浩斯女性已經被專家和一般大眾視為特立獨行。例如1930年發表在暢銷刊物《本週》（*Die Woche*）的文章：〈想要學習的女孩〉（Mädchen wollen etwas lernen）突顯出了「包浩斯女孩型」作為雄心勃勃、具創造性的年輕女孩榜樣。近年來，一些展覽、書籍和文

章提高了人們對包浩斯女性卓越創造力的認識，同時也不再忽視她們當初面臨的結構性障礙。《包浩斯的女性藝術家：45位被遺忘的女性紀錄》遵循這條道路，分別探索這些包浩斯女性成員時而悲慘的生活，和她們就學時或在校外的豐富藝術表現。她們的作品常常清楚地表明，「包浩斯」不是一種美學或風格，而是一系列對各種藝術家的不同看法或理解。這本書的附圖揭露了「包浩斯」如何以藝術形式為工藝和設計增添價值、如何靈活地思考、如何與不同媒體結合，或如何擁抱廣泛的大眾。《包浩斯的女性藝術家：45位被遺忘的女性紀錄》豐富地介紹了四十五位不同的藝術家與其作品。最為人所知的是那幾位曾在包浩斯執教的，包括崗塔・斯托爾策爾（Gunta Stölzl，編織工作坊）、瑪麗安・白蘭帝（Marianne Brandt，金屬工作坊），以及葛敦・葛爾諾（Gertrud Grunow）和卡拉・葛羅許（Karla Grosch）這兩位體育教師。包浩斯前後三位校長的妻子和合夥人值得用特別篇幅介紹，首先是伊斯・格羅佩斯（Ise Gropius）──「包浩斯夫人」（Frau Bauhaus）本尊，還有編織設計師莉娜・邁耶-伯格納（Lena Meyer-Bergner）和建築師莉莉・瑞希（Lilly Reich）。第三組有影響力的是包浩斯教師的配偶們，從路西亞・莫歐尼（Lucia Moholy）開始，她在包浩斯的影像紀錄和編輯其系列書籍方面扮演了主要角色，以及其他那些與丈夫和他們

的學生相處的年輕師傅妻子。安妮・阿伯斯（Anni Albers）後來和她的丈夫喬瑟夫（Joseph）一樣在學術領域取得了成功，而格特魯德・阿恩特（Gertrud Arndt）、艾琳・拜爾（Irene Bayer）、修斯・歐羅-康賽穆勒、（Ruth Hollós-Consemüller）、露・薛佩爾（Lou Scheper）則把她們大部分的職業生涯用於支持自己的丈夫。

　　編織工作坊是當時包浩斯女學生的熱門去處，故本書中有很大一部分的女性專攻紡織品，她們對現代織物和服裝設計產生了重大影響。貝妮塔・歐特（Benita Otte）和歐緹・貝爵（Otti Berger）是這領域的開創者。至於其他像格雷特・雷卡茨（Grete Reichardt）、瑪嘉瑞特・雷許內（Margarete Leischner）、凱蒂・凡德米（Kitty Van der Mijll-Dekker），以其工藝水準展開了漫長的職業生涯。瑪嘉烈特・丹貝克（Margarete Dambeck）和莉・拜耶（Lis Beyer）以自己的設計創造出最時尚的造型，而山脇道子（Michiko Yamawaki）不僅把自己的編織專長帶回日本，還引進更多的包浩斯文化。最重要的是，包浩斯試著培養學生建造未來的建築。在這些學生中，有少數女性留下可傳世的作品，包括凱特・伯斯（Katt Both）、路特・史丹-畢斯（Lotte Stam-Beese）和維拉・邁耶-瓦爾德克（Wera Meyer-Waldeck）。遺憾的是我們對於蘇斯卡・班

基（Zsuzska Bánki）在奧斯維辛集中營被處死前所設計的建築所知甚少，她與本書中描述的其他幾位女性有著同樣的悲慘命運。值得注意的是，一些包浩斯女學生在現代攝影上大放異彩；佛羅倫薩・亨利（Florence Henri）是在包浩斯接觸攝影，雷・蘇苞（Ré Soupault）、葛莉・卡林-費雪（Grit Kallin- Fischer）、愛笛斯・圖都-哈特（Edith Tudor-Hart）也是如此。在柏林最著名的是葛雷特・史特恩（Grete Stern），她是雙人工作室「林格爾＋皮特」（Ringl＋Pit）的其中一員，而希得・休布希（Hilde Hubbuch）和理卡達・施威林（Ricarda Schwerin）在戰爭爆發後分別流亡到美國和以色列指導人像攝影。這些攝影師是包浩斯世代的一部分，她們在1929年開始終於能在包浩斯的工作坊正式學習攝影，並在技術嚴謹的沃爾特・彼得漢斯（Walter Peterhans）指導下完成學業。他的學生艾特・米塔-佛多（Etel Mittag-Fodor）和凡那・湯真諾維奇（Ivana Tomljenović）用影像記錄了他們的生活；相比之下，茱蒂・卡拉絲（Judit Kárász）和伊蓮娜・布歐發（Irena Blühová）就比較專注於寫實攝影的主題。

只有少數包浩斯女性認為自己是純美術畫家或雕塑家，儘管她們擁有卓越才華，但像伊斯・費林（Ilse Fehling）、瑪嘉烈・雷特麗茲（Margaret Leiter-itz）、羅爾・留德斯多夫（Lore Leudesdorff）、貝拉・優曼-伯內（Bella Ullmann-Broner）或史黛拉・史帝恩（Stella Steyn）等名字，幾乎只有包浩斯專家才會知道。弗里德爾・迪克爾（Friedl Dicker）在被趕到奧斯威辛集中營的毒氣室之前，曾在特雷津的猶太人聚居區和集中營教孩童繪畫和素描。與此同時，莉蒂亞・朱耶許-福卡（Lydia Driesch-Foucar）在納粹德國試圖販賣自己受包浩斯經驗啟發的薑餅來維持生計。最後是其中兩位名列二十世紀最重要陶藝家，瑪格麗特・弗里德蘭德-威爾登海因（Margue-rite Friedlaender-Wildenhai）和瑪格麗特・海曼-洛賓斯坦（Margarete Heymann-Loebenstein），她們出身於包浩斯在多恩堡的機構。

雖然本書中的四十五位女性相當具代表性，但這些例子並不能代表全體。這些僅佔了包浩斯女性總數約10%，是以她們僅存作品的素質、個人生平的可得性、在包浩斯生活前後擁有的技能和生活的多樣性入選。每一個包浩斯成員的背後都有很多故事，關鍵資源都已附在參考資料中。總結來說，她們為身處於二十世紀的我們，提供了一個豐富多彩的視角，告訴世人是什麼造就了包浩斯。

伊莉莎白・奧托與派翠克・洛斯勒
分別來自於美國水牛城和德國愛爾芙特

上：維拉・邁爾-瓦爾德克在德紹的木工工作坊工作。格特魯德・阿恩特攝於1930年包浩斯德紹時期。

弗里德爾・迪克爾 (Friedl Dicker)

　　包浩斯最非凡的藝術家生涯往往都是以最不公平的方式嘎然停止：弗里德爾・迪克爾(Friedl Dicker)於1944年時在奧斯威辛集中營(Auschwitz-Birkenau)被謀殺，得年四十六歲。包浩斯的女性藝術家們至少有九位死於大屠殺，她是其中一位，此外還有歐緹・貝爵(Otti Berger)、蘇斯卡・班基(Zsuzska Bánki)及洛特・羅斯曲德(Lotte Rothschild)。但在她有生之年，迪克爾是一位多才多藝的包浩斯藝術家及老師，她的作品感動無數人，尤其是小孩。

　　弗里德雷克・迪克爾(Friederike Dicker)，常被叫做弗里德爾(Friedl)，1898年出生在維也納的一個猶太家庭中，從小是由在紙用品專賣店當店員的單親爸爸扶養長大。父女倆生活拮据，但她的父親仍從店裡提供她繪畫的工具。1912年到1914年間，迪克爾取得了維也納實驗平面造型設計學校的攝影學位，在1915年，她錄取了應用藝術學院的紡織系。同時，也在劇院及前衛音樂會中吸收了這座城市的文化蘊涵；她到阿諾・司空伯格(Arnold Schönberg)的作曲班學習並在街頭表演木偶戲劇。在1916年，她的求知慾帶她到神祕的約翰・伊登(Johannes Itten)私立學校就讀。當他在三年後被聘到新威瑪包浩斯當教授(master)時，帶了一群核心學生一起過去，包括迪克爾、她的朋友安妮・沃悌茲(Anni Wottitz)、以及她的伴侶和合作者法蘭茲・星格(Franz Singer)。

　　迪克爾在包浩斯的四年，不斷地努力精進。她一學期就修完了佛克斯(Vorkurs)基礎預備教育，且在第一學年她就被教師會選為能教導其他學生的第一人；教師會還給予免學費和非常難得到的獎學金作為獎勵。她學習了印刷、編織、建築及室內設計，此外，更將才能擴展到繪畫、素描、裝訂、劇場布景及劇服設計上。在包浩斯學校的那幾年間，迪克爾與星格一同擔當藝術指導，為柏林與德勒斯登當地的「部隊」戲劇公司(Die Troope)設計場景及劇服。伊登對於心靈上的追求深刻地影響他的教學，也對迪克爾的繪畫作品及拼貼的造形和色調研究——探討光與陰影的平衡及和諧的純抽象概念——有深遠影響。在她的餘生及死後多年間，伊登將她稱為最棒的學生並複製她

生：1898年，維也納，奧地利。

卒：1944年，奧斯威辛，波蘭。

加入包浩斯：1919年。

居住地：奧地利、德國、捷克斯拉夫（現今捷克共和國）、波蘭。

左上：帶著胸針的弗里德爾・迪克爾，1930年。莉莉・希爾德布萊恩德(Lily Hildebrandt)拍攝。

右上：弗里德爾・迪克爾，《造形和色調研究》(Form and Tonstudien)，約1919-1923年，以粉筆畫於黑紙上。

右：弗里德爾・迪克爾，《安娜・賽爾布里特》（聖母子與聖安妮，Anna Selbdritt），1921年，金屬雕刻品，推測被破壞過；玻璃底座，有織品，身體用鎳、鐵及黃銅組成，塗漆，240公分高。

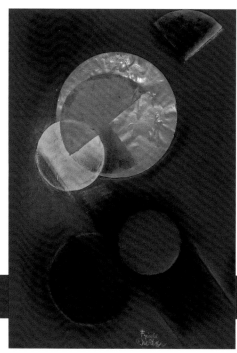

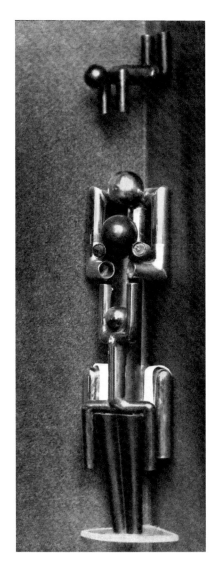

的作品為教材。

除了伊登以外，克利(Paul Klee)、康定斯基(Wassily Kandinsky)及奧斯卡·史勒姆(Oskar Schlemmer)也都是迪克爾的老師，後者對於迪克爾的機器年代影響——1921年未來主義雕像，《安娜·賽爾布里特》(聖母子與聖安妮)——更是顯而易見。抽象且環環相扣的身體，最初以銀、黑、紅與白色漆完成，這雕像呈現的是純粹神祕的愛及自我犧牲。藝術歷史學家漢斯·希爾德布萊恩德(Hans Hildebrandt)在1928年研究女性藝術家時，將此雕像複製成為芙勞·艾爾斯·康斯特勒林(Die Frau als Künstlerin，身為藝術家的女性)，將此形容為整體藝術——緊密融合建築與情感感受性，並稱迪克爾為「我們當代最多元最具原創才能的女性」。

很快地，迪克爾也在建築領域嶄露頭角，現在她被公認為首位創造平頂建築物——包浩斯風格——的女性包浩斯學生。在1922年，迪克爾與星格設計一間位於柏林的小型平頂公寓建築。在希爾德布萊恩德1924年的著作《十九暨二十世紀藝術》(Art of the 19th and 20th Centuries)中，讚賞此設計的建築師，將實用、經濟和純粹、高雅及完全功能取向等要素完美整合的內部建築與傢俱。

迪克爾、星格(此時已非她的伴侶)以及沃悌茲在1923年離開包浩斯，前往柏林創立視覺藝術有限公司的工作坊，以販售手工織物、石版畫、書籍及迪克爾的刺繡掛毯。他們將此事業稱為「(威瑪)包浩斯柏林分部」(Bauhaus [Weimar] Zweighaus Berlin)。迪克爾及沃悌茲於1925年回到維也納，而星格在1926年也跟隨他們的腳步。就在1926年，阿特里亞·星格-迪克爾(Atelier Singer-Dicker)建築與時尚室內設計事務所開業了，他們承接的都是當代極具功能性

案子。

　　雖然阿特里亞·星格-迪克爾的許多客戶都是富有人士，這兩位藝術家卻對窮人及勞工階級極富同情心。在1930年代初期，迪克爾加入共產黨，而在其作品中越來越多地滲入共產意識形態的色彩。舉例來說，「多功能性」（包括多用途家具及空間）為阿特里亞的設計特色，自從共產主義允許使用者來共同合作並以較少東西做更多事後，即與它的政策相互呼應。在1930年，迪克爾和星格創新一種稱為歌德霍夫（Goethehoff）的蒙特梭利幼兒園，之後成為維也納左翼社會主義者的中心。迪克爾以特殊的方式將她的中心思想傳遞給小孩；藉由協力合作，孩子們能靠自己將午睡區變成遊戲空間。迪克爾也開始在1930年代早期教授藝術。

　　1930年代早期，迪克爾將她的政治狂熱轉化成製作一系列，至少九張的宣傳反法西斯集錦照片，取自約翰·哈特菲爾德（John Heartfield）與拉士羅·莫歐尼-那基（László Moholy-Nagy）的舊照。《這世界看起來就是這樣，我的孩子》（So sieht sie aus, mein Kind, diese Welt [This is How it Looks, My Child, This World]）描寫了資本主義、法西斯主義及武裝軍備，且強調小孩及窮人是這不公平中必然的犧牲者。在這方面的做法，迪克爾掛念的與她的包浩斯同事愛笛斯·圖都-哈特（Edith Tudor-Hart）不謀而合。事實上在這集錦照片的右上角包含了兩張圖都-哈特所拍攝的無家可歸的窮困家庭照片。根據研究圖都-哈特的專家鄧肯·佛必斯（Duncan Forbes）所述，無任何證據顯示這兩張照片在當時有被出版；而迪克爾喜好使用原創照片，可推論出當時這兩位女士私下認識。可確定的是兩位同為共產黨員，且投身於維也納的蒙特梭利教育環境。因為這些集錦照片中毫不掩飾左派份子及贊成蘇聯的政治信念，不訝異地這只能存在於迪克爾未銷毀前的照片作品中。迪克爾在1934年被控在一次警察搜索其工作坊時發現持有激進文件而鋃鐺入獄。靠著星格的幫助，她逃到了布拉格，在那裏她再次與反法西斯主義結盟，並開始與安娜·瑞茲（Anna Reich）進行密集的心理諮商。迪克爾也與她的表親帕菲爾·布萊丹依斯（Pavel Brandeis）相遇，兩人於1936年結婚，助她取得新姓氏及捷克斯拉夫國籍。雖然她可以拿到巴勒斯坦的簽證，但她的丈夫並沒有取得，於是她婉拒了。1938及1939年間，德國納粹黨兩階段佔領了捷克斯拉夫。兩夫妻同時往東搬到了赫羅諾夫（Hronov）的小鎮，但於1939年，因猶太人身分，他們喪失了工作的權利。在此同時，迪克爾的作品正好在倫敦的拱廊美術館（Arcade Gallery）展出，提供她絕佳的機會逃離納粹占領的歐洲，但她並沒有前往。

　　1942年十二月，迪克爾-布萊丹依斯一家人收到要被驅逐到特雷津（Theresienstadt）猶太集中營的通知。迪克爾在那裏度過最後兩年。她打包極少東西，只有一些教授藝術的材料。一到那裏，她就致力於成人收容所祕密籌畫的課程來教導小孩，因為在特雷津沒有正規的學校教育。如藝術歷史學家暨攝影師瑞納·威克（Rainer Wick）指出，迪克爾-布萊丹依斯應用包浩斯及伊登的教學法，「從基礎幾何演練到韻律練習、自然學習法，還有生活，以

「畫紙所剩無幾，有時甚至只有回收紙或其他舊包裝的包裝紙。但只有在那些時刻，我才覺得像是自由的人類。」

希爾加·波拉克（Helga Pollak），弗里德爾·迪克爾的學生

SO SIEHT SIE AUS, MEIN KIND, DIESE WELT
DA WIRST DU HINEINGEBOREN.
DA GIBT ES WELCHE ZUM SCHEEREN BESTELLT
UND WELCHE DIE WERDEN GESCHOREN.
SO SIEHT ES AUS, MEIN KIND, IN DER WELT
IN UNSERN UND ANDERN LÄNDERN
UND WENN DIR, MEIN KIND, DIESE WELT NICHT GEFÄLLT
DANN MUSST DU SIE EBEN ÄNDERN

及夸納克（Cranach）、提齊安諾（Titian）、維梅爾、塞尚、梵谷、馬蒂斯和其他藝術家作品的色彩研究與拼貼插圖分析。」其中一位迪克爾-布萊丹依斯在特雷津教過的學生希爾加‧波拉克（Helga Pollak）如此形容她的課：「那裡只有一張大桌子上放了一些繪畫工具，畫紙所剩無幾，有時甚至只有回收紙或其他舊包裝的包裝紙。但只有在那些時刻，我才覺得像是自由的人類。」在1943年，她在特雷津教授「兒童繪畫」（Kinderzeichnen）時提到，即使是在特雷津這樣資源缺乏的環境，藝術課程仍能讓孩子們感受心靈自由，探索他們的個體性及獨特地表達他們觀察到的事物及感受。

　　曾與迪克爾一起在維也納及布拉格教導難民孩童的學生愛笛斯‧克雷蒙（Edith Kramer）稱她為藝術療法的始祖。克雷蒙後來移民到美國，自己在那裡推動藝術療法運動——少數能與包浩斯連結的一種藝術實現類型。迪克爾將包浩斯方法帶進集中營，且用這些方法讓六百多名小孩更能忍受殘酷的生活。克雷蒙稍後如此描述迪克爾-布萊丹依斯：「有好幾種存活下來的方式，而她的藝術及教學協助創立了藝術療法，成為了另一種存活方式。」

　　迪克爾-布萊丹依斯在特雷津仍持續創作，包含一幅白色背景中有個小孩臉孔的水彩畫。

　　1944年十月她要求被流放，因為她想跟隨在九月底被帶走的帕菲爾。迪克爾-布萊丹依斯在離開前打包了兩箱五千多張特雷津學生的畫作，並將這兩箱藏在女生宿舍的閣樓，戰爭結束後才被找到。在藏好這些珍品後，迪克爾-布萊丹依斯跟一些學生搭上一班目的地未知的火車。他們抵達了奧斯威辛，但在1944年十月九日，死於毒氣行刑室。她的丈夫則在事隔四個月，集中營被解放後倖存。

上：弗里德爾‧迪克爾，《小孩臉孔》（Child's Face），1944年，水彩畫。

瑪格麗特‧弗里德蘭德－威爾登海因（Marguerite Friedlaender Wildenhain）

上：瑪格麗特‧弗里德蘭德-威爾登海因在拉坯機旁的半身照片，正以泥漿裝飾一個陶碗，於荷蘭普登「小壺陶藝工作坊」，1930年代中期。

透過在德國、荷蘭及美國的工作及教學，瑪格麗特‧弗里德蘭德-威爾登海因（Marguerite Friedlaender Wildenhain）成為創新包浩斯陶藝品——耐用、實用及簡單的優雅——的領導者，並把這些概念宣導到新世代。她的父親是德裔、母親為英國籍，但她的出生地在法國，她一直是世界公民。成長過程即被教導三種語言，讓她能在里昂、柏林及英國福克斯通女子學校（British Folkstone School for Girls）就讀。在1914年，她回到柏林的應用藝術學院（Hochschule für angewandte Kunst）就讀。1916年，她為盧杜爾斯塔（Rudolstadt）一家製造商設計瓷製品室內裝潢。在1920年春季完成包浩斯的基礎預備教育後，威爾登海因成為首批陶藝品的學生。莉蒂亞‧朱耶許-福卡（Lydia Driesch-Foucar）之後回憶道，「她的『工作坊』只是在熔爐廠內一個小的可憐的房間，放著一個拉坯輪車及黏土板條箱。」威爾登海因帶著五名學生來到多恩堡（Dornburg）附近一位手藝精湛的陶藝家邁克斯‧克雷罕（Max Krehan）旗下工作。在格羅佩斯（Gropius）的支持下，陶藝工作坊成立了。克雷罕要求他們長期留在那邊真正學習手藝；正因如此，威爾登海因對他的高標準及傑出教學心懷感激。克雷罕死於1924年，直到2007年威爾登海因死後出版的書信日記才揭露兩人原來是情侶。工作坊的教授，雕刻家格哈德‧馬克斯（Gerhard Marcks）對她也有深遠影響且成為一輩子的朋友。她那時期的作品只有少數被保存下來，但從《乳牛及小公牛》（Cow and Steer）—— 一個以泥漿描繪出線條的粗陶壺——展現她早期即對陶土掌握的純熟度。在多恩堡時她完全地奉獻在研究之中。她於1922年七月通過技能考試（Gesellenprüfung）。但當1924年威瑪包浩斯關閉

生：瑪格麗特‧弗里德蘭德，1896年10月11日。里昂，法國。

卒：1985年2月24日。根內維爾，加州，美國。

加入包浩斯：1919年。

居住地：法國、德國、瑞士、荷蘭、美國、中南美洲。

PORZELLAN
FÜR DIE NEUE
WOHNUNG

STAATL. PORZELLAN - MANUFAKTUR BERLIN
NW 87, WEGELYSTR. 1, W 9, LEIPZIGERSTR. 2
ZUR MESSE IN LEIPZIG: GOETHESTRASSE 7

左：瑪格麗特・弗里德蘭德-威爾登海因，手提壺上有線條裝飾，1922-1923年。

上：被稱為「新居住思維的陶瓷」（Porzellan für die neue Wohnung），《陳列室6》（Die Schaulade 6）雜誌中的廣告（1930年）。

時，陶藝工作坊也永遠歇業了。

另一家先進學校，位於哈勒（Halle）的傑比成史坦城堡藝術和設計學院（Burg Giebichenstein Kunsthochschule），在格哈德・馬克斯（同樣在那裏工作）的建議下雇用了威爾登海因。1926年，她通過了工匠碩士考試（Meisterprü-fung），而後擔任陶藝系（Leiterin der Keramikab-teilung）主任，成為德國女性第一人。1929年，她逐漸達成包浩斯大量生產陶藝品的目標，首先在工作坊設建一個陶瓷試驗爐，接著再與柏林皇家陶瓷製造廠（Königliche Porzel-lanmanufaktur, 簡稱KPM）合作，同年合作開創她的哈勒造形（Hallesche Form）。曾有廣告把它稱為「新居住思維的陶瓷」，如同漢斯・瑞奇特（Hans Richter）的電影中年代的標語，也像是提名在新公寓上，強調的是對於機能內部設計卻又負擔得起的房子的迫切需要。威爾登海因未經修飾的上漆激盪出機能性並強調了外形之美。儘管威爾登海因面臨著猶太人的命運，其作品之永恆性也許說明了KPM持續在納粹時期製造此類作品的原因，即便上面並未刻上威爾登海因的名字。此外，她也為新興的航空業開發了創新的設計。

1930年，威爾登海因與前包浩斯人法蘭茲・威爾登海因（Franz Wildenhain）結婚。在哈勒時，法蘭茲是她的學生及助手。但在1933年，她失去了在傑比成史坦城堡的職位。之後她旅行到父母位於瑞士的家，並在父母建議下，決定搬到荷蘭，在普登（Putten）和法蘭茲創立了「小壺（the Het Kruikje）陶藝工作坊」。他們的陶藝品銷售良好，也賣進了阿姆斯特丹市立博物館。1937年，瑪格麗特・威爾登海因再次與產業合作。由荷蘭政府委託為巴黎展出的「現代生活中的藝術與科技展」（Internationale des Arts et Techniques dans la Vie Moderne）製作，她與位於馬斯特里赫特（Maastricht）的德斯芬克斯公司（De Sphinx）共同創造了《五點鐘》（Five O'Clock）茶具組，還在展覽中獲得了銀牌。然而隨著納粹在1940年入侵荷蘭，瑪格麗特・威爾登海因必須再度搬家。憑藉她的法國國籍，她逃到了美國。法蘭茲卻因為他的德國國籍無法與她一起離開。直到1947年，他們才再度重逢，但1950年隨即離婚。

瑪格麗特・威爾登海因後來搬至加州，剛開始在奧克蘭的加州藝術及工藝學院（California College of Arts and Crafts）任教，隨後在藝術家社區－池塘農場（Pond Farm）教學。她的作品獲得無數獎項，在1954及1963年，她獲得「年度傑出西岸陶藝家」的殊榮，並獲頒路德學院（Luther College）的榮譽博士。1952年，她出書撰寫關於自己的一生及研究，並旅行到黑山學院，往後每年到中南美洲旅行。直到1980年，每個夏天，她都在池塘農場教導年輕陶藝家如何用拉坯輪車精通拉坯技巧，在那裡她才覺得像家並充實度過每一天。

葛敦 · 葛爾諾 (Gertrud Grunow)

人們普遍不會記得包浩斯的音樂家，但其中一位音樂家葛敦 · 葛爾諾 (Gertrud Grunow) 稱得上是早期最具影響力的老師之一。並非透過藝術品或是樂曲，葛爾諾運用了哲學的方法輔成創造力，身體被稱為和諧的理論 (Harmonisierungslehre)，目的在於透過肢體動作達成完全的感官整合，且學習綜合均等的聲音、顏色、形狀及動作之感知。包浩斯人愛爾斯 · 木格林 (Else Mögelin) 日後曾回想起葛爾諾在課堂上的熱情教學「舞動藍色！」有一系列展示葛爾諾的學生正在擺姿勢的照片。從左到右他們是：音符「e」及顏色白色、同樣的音符卻與藍綠色有不同的感知關係、而最後音符「a」與藍紫色配在一起，接著開始了這支舞蹈。雖然葛爾諾留下來的作品相當少，但她對早期包浩斯人影響的痕跡卻是隨處可見。一張1923年廣泛流傳的包浩斯教學圖表——國立威瑪包浩斯學校 (the Staatliches Bauhaus Weimar) 展覽中出版的1923年簡介——展現她的課程是所有學習的基礎。

葛爾諾在柏林出生，曾追隨漢斯 · 吉多 · 馮 · 畢羅 (Hans Guido von Bülow)、飛利浦兄弟 (the brothers Philipp) 及克薩維爾 · 夏溫卡 (Xaver Scharwenka) 等著名作曲家、指揮家及鋼琴師學習音樂。自1914年起，她開始發展自己的理論，到了1919年，她先在柏林及耶拿 (Jena) 教導，同年在約翰 · 伊登 (Johannes Itten) 的引薦下到包浩斯教學。葛爾諾雖是約聘教師，但在很多方面她所行使的職責如同教授；她會出席教師會議，會中她對學生的能力評估是學生能否從基礎預備課程中晉級的重要考量因素。之後，在1923年的簡介中，她的名字列在卓越包浩斯教師表中，依字母順序排列，就在「沃爾特 · 格羅佩斯」(Walter Gropius) 之後。保羅 · 克利的兒子菲立克斯 (Felix)，十四歲起就在包浩斯成長，日後回憶起葛爾諾，將她稱為「包浩斯的靈魂守護者」(Seelenhüterin)。

葛爾諾是唯一一位為國立威瑪包浩斯學校的簡介撰寫短文的女性教師。〈經由顏色、形狀及聲音的生動型態創作〉短文首次發表，就編排在格羅佩斯的短文之後，甚至排在保羅 · 克利跟瓦斯里 · 康定斯基

<table>
<tr><td>生：</td><td>1870年七月八日，柏林，德國。</td></tr>
<tr><td>卒：</td><td>1944年六月十一日，勒沃庫森 (Leverkusen)，德國。</td></tr>
<tr><td>聘僱於包浩斯：</td><td>1919年。</td></tr>
<tr><td>居住地：</td><td>德國、英國、瑞士。</td></tr>
</table>

上：葛敦‧葛爾諾肖像，約1940年。

下：葛敦‧葛爾諾的學生，1917年或1922年。

（Wassily Kandinsky）的短文之前。在文中，葛爾諾解釋視覺、更重要的是聽覺，為最重要的感官，而身體是個必須和諧的感知樂器。她提及顏色不只是眼睛的視覺，還是「生動的力量」，而圓形是最完整最基本的形狀。她曾寫道：「在一個像包浩斯一樣，所有人都致力於重建、友誼和與世界最熱烈的互動之地，對獨立的養成，就像潛意識中形成一般，開始且持續的協助著，絕對是必要的。」

隨著包浩斯的焦點從心靈層面轉移到科技面，以及葛爾諾最重要的夥伴伊登在1923年離開，她的重要性銳減，教師會投票決定自1924年春季起，不再與她續約。葛爾諾後來幾年在漢堡、英國及瑞士教學，後又回到德國。只有透過她及學生們少數的著作中才能部分重現深遠影響早期包浩斯的身體、感知與創意的理論。

崗塔·斯托爾策爾 (Gunta Stölzl)

由烏爾·穆勒 (Ulrike Müller) 與英格麗德·瑞德瓦爾特 (Ingrid Radewaldt) 共同撰寫

崗塔·斯托爾策爾 (Gunta Stölzl) 因身為包浩斯唯一的女性教授而留名青史。從1926年起，即擔任工作坊的師傅 (Werkmeisterin)；自1927年至1931年，還擔任德紹包浩斯編織工作坊的技術暨藝術主任。她將19世紀裝飾藝術中最不受重視的領域——編織，轉化成現代工業化紡織設計；藉此她達到了在包浩斯從未見過的高產量。能這麼做的根本在於斯托爾策爾終身的「編織魂——從材料中設計東西」，一方面，她的特殊才能在於將複雜的構圖轉化成精密的手工編織作品；另一方面，將創新的原型帶入機械化生產。然而，身為老師，斯托爾策爾能為想要在國際上成功揚名的編織者及織物設計師鋪路。她提昇了即興創作與實驗性，讓學生們在學習過程中能修改元素，也始終如一地激勵學生以團隊精神及熱情緊抓住「勤勉之繩」。

斯托爾策爾於1897年出生，她的家庭相當重視教育；她的曾祖父本身就是個編織師傅，而她爸爸在教育改革領域相當活躍。1913年她已在慕尼黑的女子高中 (Höhere Töchterschule) 通過高中考試——在當時是相當罕見的——接著在慕尼黑的應用藝術學院讀了七個學期，課程涵蓋了玻璃彩繪及陶藝。在那裏最重要的老師就是學校校長，同時也是藝術改革家理查·里莫斯密德 (Richard Riemerschmid)。

然而，第一次世界大戰之後，不只建築物及街道淪為廢墟，希望、生活與計劃也都破滅，有太多因戰爭而產生的悲傷、苦難甚至死亡。斯托爾策爾處於急速成長的世代，往往會用批判的眼光看世界。對斯托爾策爾而言，應用藝術學院似乎太過眼光狹隘與保守。「包浩斯宣言」(Bauhaus Manifesto) 中提到的生活與工作理想則截然不同，也讓新創建的威瑪共和時期對女性改革增添新元素。斯托爾策爾決定要有嶄新的開始，於是提出申請。

在她的包浩斯申請檔案中的畫作展現靈敏的觀察力及藝術才能。很多與戰爭有關的作品，是從她在1917到1918年間當紅十字護士時所見所聞的痛心觀點。格羅佩斯在1919年就毫不遲疑地接受她，促使這名學生寫出熱情的日記：「沒有任何東西能阻撓我的外在生活；我可以用一隻手打造我想要的生活。喔，我多常這麼夢想著，而現在終於要成真了；我仍然不敢相信。」即

生：阿德爾貢德·斯托爾策爾，1897年三月五日，慕尼黑，德國。

卒：1983年四月二十二日，庫斯納赫特，瑞士。

加入包浩斯：1919年。

居住地：德國、瑞士。

使她只是個年輕女孩，仍保有對寫作的熱情。時至今日，她的日記及信件仍舊相當有價值及真實，多虧了她一直以來以開放、坦率、能辨是非且批判的態度來看待外在世界，就如同她本身的情感一樣豐富但矛盾。在這過程中，她發展出對社交情緒有敏銳的知覺：她是第一個在包浩斯早期對反猶太衝突表達批評的人。

　　她從編織工作坊開始——在1920年被格羅佩斯宣告為女性課程（Frauenklasse）。當時被聘雇為教授（Werkmeister）的海琳恩・波爾納（Helene Börner）被斯托爾策爾無情地鄙視為「最老舊時尚的針線活老師」。她的同學安妮・阿伯斯（Anni Albers）回憶道：「剛開始，我們什麼都沒學到。我倒是從崗塔那兒學到很多，她是個很棒的老師。我們只是坐在那邊，不斷嘗試」。讓教師能持續教導基礎預備教育是需要積極主動的創造力的。而這正是約翰・伊登想要吸引所有學生的感知及鼓舞他們的個別力量之要素。

上：崗塔・斯托爾策爾，德紹包浩斯，1927–1928年。

左：崗塔・斯托爾策爾，未命名，1920年，水彩，筆墨，紙上以不透光的白色蓋過鉛筆。

1920年，斯托爾策爾與維爾納‧吉爾斯(Werner Gilles)墜入情網，卻很快地結束這段關係。在她的日記中看得到一個年輕女性的心理掙扎，特別是在包浩斯這個以各種方式打破傳統的環境中。傳統的規範並不會與誠實及自我探討的不斷增長需求共存。「我們這時代的人們只是還沒找到愛與婚姻的形式；所有作品中表達的類似搜尋只是對新生活方式的極度渴望。」她在1928年五月底日記中寫道。她藉由對包浩斯更加全心全意地奉獻，且讓自己在編織工作坊中的影響力與日俱增，而克服了危機。在1920年冬天，她的學費被完全減免，之後更獲得了獎學金。

當保羅‧克利在1921年加入包浩斯時，斯托爾策爾立刻選了他的藝術型態理論課(Bildnerische Formlehre)。對她及其他很多的編織家而言，克利成為在包浩斯藝術理論領域最重要的老師，其中包含她的朋友貝妮塔‧歐特(Benita Otte)，1922年她與貝妮塔一起在克雷費爾德(Krefeld)順利修完染色工藝的課程。在與不同工作坊與日俱增的合作下，斯托爾策爾與馬歇爾‧布魯耶(Marcel Breuer)創造出有布椅套的椅子——第一張由塗漆的木頭及色彩鮮艷的織品組成，被稱為「非洲椅」。1922年，斯托爾策爾憑藉著編織一張士麥那(Smyrna)毯通過出師考試，而這也是1923年包浩斯展覽中模型屋「號角」(Haus am Horn)展示的其中一張毯子。隔年，斯托爾策爾成為包浩斯編織工作坊聘僱的第一位女性學徒。

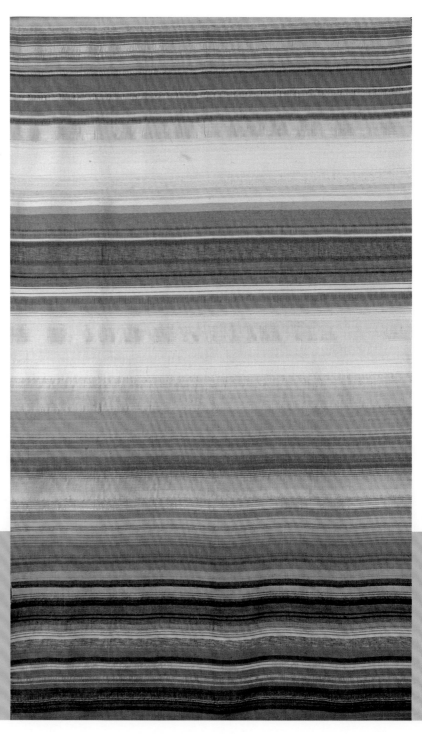

「沒有任何東西能阻撓我的外在生活；我可以用一隻手打造我想要的生活。喔，我多常這麼夢想著，而現在終於要成真了；我仍然不敢相信。」

崗塔·斯托爾策爾。

斯托爾策爾在德紹剛開始時是第一位師傅，但在學生們要求免職喬治·莫奇（Georg Muche）後，她就以「年輕教授」（Jungmeisterin）的身分完全接管編織工作坊。在她的帶領之下，工作坊所製作的織物及原型成為學校最大的收入來源。相較之下，她與德紹市法院簽訂合約中的薪水遠比她的男性同事少，也沒有退休金或升遷教授職位的權利；從1930年的合約開始，福利條件才稍微好一些。自從建築系在1927年創系後，隨之而來的是對完美工藝及編織工作坊現代產品的要求，斯托爾策爾籌畫新的教學計畫，更著重在編織技巧、工作坊課程、數學及幾何方面。她要學生多實驗合成材料，測試彈性、耐磨性、光線折射度及吸音度等特質。工作坊收入增多，更在1930年與柏林普利特紡織公司（Berlin textile company Polytex）簽訂交易協定。

跟當時包浩斯大多數的學生與教師一樣，斯托爾策爾是政治左傾份子。1928年五月在莫斯科舉辦的國際建築會議（Congrés internationaux d'architecture modern）中，她與身為奧地利猶太人的建築師艾瑞·沙朗（Arieh Sharon）墜入情網，沙朗在1926年成為包浩斯的學生，在那之前於巴勒斯坦住了六年。兩人在1929年八月初結婚，斯托爾策爾的德國國籍自此轉變成英裔巴勒斯坦。十月，他們迎接女兒耶爾的誕生，很快地工作坊桌子就變成了尿布檯。但並

左：崗塔·斯托爾策爾，線條結構的壁掛裝飾品，1923/1925年，海琳恩·波爾納複製，原稿遺失，無花紋織物，羊毛與嫘縈。

右：崗塔·斯托爾策爾，為哥白林掛毯設計，約1926年，不透明水彩，筆墨畫於紙張上。

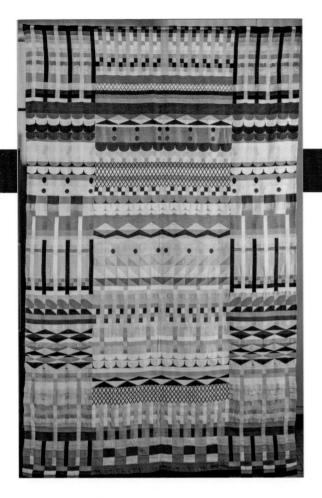
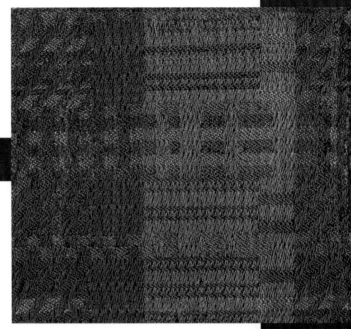

非所有包浩斯成員對於斯托爾策爾在妻子及母親的身分外仍繼續發展事業感到高興。

社會主義黨（納粹黨）在德紹獲得了支持，隨著「紅色」校長漢斯・邁耶（Hannes Meyer）的去職，沙朗也失去了他的工作。斯托爾策爾覺得自己越來越陷入在現今會被認為是騷擾的狀況中。她的對手——編織坊學生赫伯特・馮・艾倫德（Herbert von Arend）、瑪格瑞莎・雷卡茨（Margaretha Reichardt）及艾爾絲・福格特（Ilse Voigt）——起而批評工作坊的指導方針，剛開始與歐緹・貝爵串連，爭論著要從提供給普利特的原型中獲得的利潤取得津貼。競爭、忌妒及如斯托爾策爾所說的「個人對權力的渴望」，與對斯托爾策爾反資本主義態度的不信任，再再加深了緊張局勢。甚至是老師，包括沃爾特・彼得漢斯（Walter Peterhans，當時是雷卡茨的伴侶）也涉入其中；此外，斯托爾策爾私下懷疑是康定斯基在操縱整個局面。甚至連斯托爾策爾的品行及私生活都被侵犯了。1930年十月二十八日，他們的指控變成了一場誣陷戰爭：「沙朗太太在教學、藝術及管理上都徹底失敗。她是絕對靠不住的，而且在所有技術方面都是不學無術的；舉例來說，在材料上，她無法分辨羊毛及棉花……在重要的工作坊組織相關議題討論中，只看的到沙朗太太喝著茶與咖啡。」

「我希望在我的作品中
仍可以感覺到悸動、編
織的喜悅。」

崗塔·斯托爾策爾

高漲的反猶太主義也對她造成重大傷害：一天早上，她發現佩勒豪斯工作室的門上貼了一個納粹黨徽卍。自從克利、邁耶，及她大多數先前的學生離開後，她幾乎得不到任何支持，最終只有共產黨學生派為他辯護。新校長密斯·凡德羅（Mies van der Rohe）也試著解決紛爭；到了1931年一月初，對斯托爾策爾有利的是，艾倫德被命令不能再踏入工作坊直到紛爭解決為止，不實指控即源自於艾倫德。然而到了1931年三月情況失控了，斯托爾策爾請哥哥歐文尋找律師；「一個女孩的父親……對管理階層向我提出的控告，尤其是攻擊我的私生活，很明顯地毀謗我的性本質……」她的哥哥建議她提出毀謗訴訟，但她只預見一個做法：在當天辭職以避免被開除。在她之後寫給哥哥的信中提及：「很高興我這麼做了。」1931年五月，斯托爾策爾告訴他：「學生們逐出了三個教唆者，密斯也將他們免職，所有的教授皆同意他的做法，而後在包浩斯公告。後來市長與德國人民黨議員一同前往包浩斯，然後，他們就被重新接納了！那就是政治的力量，而我剛好是犧牲者。」在1931年七月七日，斯托爾策爾永久離開了德紹及包浩斯。

因為在德國的工作毫無前景，她與早先的包浩斯學生格特魯德·普耶斯沃克（Gertrud Preiswerk）及亨利·奧圖·賀烏爾里曼（Heinrich Otto Hürlimann）在1931年秋天於蘇黎世創辦了S-P-H手作編織廠，專事生產工業用及建築師專用個別織物品的原型。儘管有好的開始，斯托爾策爾不得不在短短兩年後結束業務，就在格羅佩斯將S-P-H紡織最大的客戶蘇黎世旺貝達爾夫公司（Zurich-based Wohnbedarf AG）介紹給歐緹·貝爵之後。根據安雅·鮑姆霍夫（Anja Baumhoff）的說法，斯托爾策爾當時的處境就跟包浩斯猶太移民一樣，不斷努力取得瑞士的居留權。

在1935年，她與賀烏爾里曼創立了S&H紡織；1937年，她成為芙蘿拉手工編織廠的唯一所有人；而同年，獲得巴黎世界展覽中的國際藝術暨技能展所頒的國際卓越紀念獎殊榮（Diplome Commémoratif）。因為她與沙朗分開許久，在1936年他們的婚姻畫下句點。六年後她與作家威力·史塔德勒（Willy Stadler）結婚並取得瑞士國籍，在1943年生下他們的女兒莫妮卡。接下來數十年，斯托爾策爾持續在她的手作編織工作室工作，主要生產織物供給室內裝潢業界。1967年，她結束她的事業進而投身在創造壁掛裝飾品上。在七十八歲時她表示：「我希望在我的作品中仍可以感覺到悸動、編織的喜悅。」斯托爾策爾於1983年在瑞士的庫斯納赫特離世。

莉蒂亞‧朱耶許－福卡 (Lydia Driesch-Foucar)

瑪格達爾恩娜‧德羅斯特 (Magdalena Droste) 撰寫

「靠薑餅餅乾存活下來」，一個很古怪的講法，但卻是莉蒂亞‧朱耶許-福卡 (Lydia Driesch-Foucar) 在艱困時期支撐她的四個年幼子女家庭的最佳寫照。而且在很多方面，她的不平凡生活及精美餅乾製作，可說是在納粹時代的設計歷史中具有代表性的典範。包浩斯專家都知道，她在威瑪包浩斯是以接受過完整訓練的陶藝家聞名。1919年，她在慕尼黑應用藝術學院取得學位，直到1921年她為塞爾布 (Selb) 的胡琴羅伊特 (Hutschenreuther，今慣稱獅牌) 瓷器廠設計模型。還在慕尼黑時，她遇見了藝術系學生約翰‧朱耶許 (Johannes Driesch)，他的熱情信件很快地就說服福卡跟隨他到威瑪。1920年五月，兩人都報名到位於多恩堡 (Dornburg) 的包浩斯陶藝工作坊工作，接受雕像家格哈德‧馬克斯的指導。馬克斯是他的老師、朋友及資助者，對待朱耶許就像兒子一般。這對年輕情侶在1921年五旬節結婚，同年九月迎接他們第一個兒子麥克；從那時起，朱耶許-福卡在工作坊的唯一活動就是為工作坊內的八到十個成員烹飪。從這時期起兩夫妻大約四十件僅存的作品，顯示出他們的作品受到包浩斯的影響有多深，這樣的改變導致胡琴羅依特中止與朱耶許-福卡的合作。大約就在那時，朱耶許背離現代包浩斯觀點，離開了陶藝工作坊要成為「德國最棒的畫家」。在接下來的九年，兩夫妻養育四個小孩，但常常分居。朱耶許-福卡長期住在腓特列斯多夫 (Friedrichsdorf) 的父母家中，但她的丈夫主要在威瑪、愛爾芙特、德勒斯登和法蘭克福居住及工作。在夫妻倆的通信中清楚地傳達他們生活在痛苦的貧困中。

在她丈夫於1930年早逝之後，朱耶許-福卡幾乎是窮困潦倒。她所販賣要補貼家用的手工縫製動物皮無法大量生產，而她也找不到願意出版她創作的童書的出版商；被製作出來的只有一款叫做"Schnipp-Schnapp-Spiel"桌遊 (但最終仍未成功)。終於在1932年十一月，威海姆‧華根菲爾德 (Wilhelm Wagenfeld)——與朱耶許-福卡同為前包浩斯人，且自1931年春天起，他就成為一名位於耶拿的肖特玻璃製品公司 (Schott Glassworks) 的藝術工作人員——委託這位年輕寡婦為牛奶瓶與包裝紙設計小冊子，要求運用舊式的蘇特林 (Sütterlin) 手寫書寫體做出現代的設計。按照指示，朱耶許-福卡將它以明信

生：莉蒂亞‧福卡，1895年二月十八日，腓特列斯多夫，德國。

卒：1980年，腓特列斯多夫，德國。

加入包浩斯：1920年。

居住地：德國。

右上：朱耶許家庭在腓特烈斯多夫家中花園。

片大小、摺成像手風琴狀的小冊子形式展現，由公司印刷及支付費用。1933年，她將兩個包裝紙設計呈給玻璃製品公司的新藝術顧問拉士羅・莫歐尼-那基（László Moholy-Nagy）。她的幼兒園風格與他的廣告策略無法相容，所以公司只支付設計費用但作品從未被製造。不久後，朱耶許-福卡說自己：「沒有一件事成功。」，並認真思考以她不得志的處境是否能繼續堅持以藝術家來謀生。

朱耶許-福卡接著嘗試做德式薑餅（Lebkuchen），這是一種薑餅餅乾，在德文也稱作蜂蜜蛋糕（Honigkuchen）、胡椒蛋糕（Pfefferkuchen）、或者是曲奇餅或糕點（Formgebäck或Formkuchen）。之後她曾提到這個事業背後的家族史：「那也是我第一次試著做薑餅，在棕色麵糰上切出各種不同的形狀。可以說這就是我的薑餅工作坊的開始，也是馬克斯家庭與我們

左：莉蒂亞‧朱耶許-福卡，蜂蜜蛋糕設計，1939–1940年。

右：藝術造型蜂蜜蛋糕工作坊的傳單，約1935年。

之間存在多年的傳統：在聖誕節的時候交換蛋糕並說些祝福詞。馬克斯一家特製的是白色茴香蛋糕，他都會將蛋糕切好，而我們就會製作各種形狀的薑餅，上面會用白色糖衣及各色的珍珠糖裝飾。」

　　在朋友圈中，蛋糕原本是關係與友誼的象徵，特別是在艱困時期，大家都很感激收到可以吃的禮物。然而這個創業也並非一開始就有利潤，所以朱耶許-福卡開了一家小型的糖果與菸草店。在1934年三月，她成功地將薑餅在萊比錫春季商展（Leipzig Spring Trade Fair）中販售。從一張格拉西博物館（Grassi Museum）的檔案照片中看的出來，那很可能是她的第一個攤位，上面只寫了她的名字「莉蒂亞‧朱耶許 腓特列斯多夫」（Lydia Driesch

Nr. 1

Nr. 25, 26, 28

Nr. 8

Nr. 12

Nr. 4 a

Nr. 21

Nr. 18, 2a 17a

Nr. 6a

Photo: Gertrud Hesse, Duisburg.　Die Tierformen sind gesetzl. geschützt.

Friedrichsdorf)。照片中是一個簡單的銷售櫃台，後面牆上堆疊著薑餅。

　　同時間她也進入了帝國文化院（Reichskulturkammer），成為德國工匠協會（Bund Deutscher Kunsthandwerker）的一員。能否參與應用藝術博物館的商展，取決於參展時依據博物館的指導展出有加分效果的產品；格拉西博物館在1920年明列出選拔原則，並因此變成了精品手工藝品的主要策展者。朱耶許-福卡取得了在商展中販售產品的授權，如此一來便間接承認她的薑餅屬於手工藝品，亦可從她攤位獨特的的名字中看的出來——藝術造型蜂蜜蛋糕工作坊（Werkstatt für künstlerische Formhonigkuchen）。在1936年萊比錫春季商展中的參展商名單中，有一個特別的分類「蜂蜜蛋糕」（Honigkuchen）就是特別為她安排。朱耶許-福卡因為展覽中的一個食物品項找到她的立足點，而非投身於家用產品、織物及傢俱等，這類當時代表工藝技術精美設計及典範之主要領域。

　　照片中，可以看到朱耶許-福卡的德式薑餅是現代設計，而不是
傳統德國薑餅的形狀，都已被藝術造型改造過，藉由裝飾的彩色糖霜
及珍珠糖而變得栩栩如生。儘管美麗，這些未署名的薑餅仍被視為
可食用的藝術品，此被視為食用藝術運動的先驅。朱耶許-福卡後來
回憶道：「這比原先預期的還要成功。我收到太多訂單，幾乎都趕不
出來。我在房子的邊間設立了一個工作坊，也訓練了一些女性助手，
富裕的朋友還幫我買了一個大烤箱。」諷刺的是，她談到阿道夫・希
特勒曾造訪她的攤位：「我給了希特勒一個新的聖誕節馬匹造型餅乾
[在萊比錫商展]，他對我的展出非常滿意。」

　　這個受過訓練的瓷器藝術家的成功，與工作坊在生產、配送、廣
告及銷售方面與日俱增的專業度有密切關聯。朱耶許-福卡製作廣告
傳單、小手冊，和附有訂購單的價目表。照常理，她也將設計申請專
利以杜絕仿冒品；自1936年起，她開始使用註冊的新商標。小手冊
中呈現了所有造型的作品，其中包含了所有的星座，及一個漂亮的餅
乾盒，明確的標註著「餅乾完好如初，有損壞請寄回。」兩位在1920
年代晚期及1930年代聞名的產品攝影師，柏林的珠塔・賽爾（Jutta
Selle）及杜伊斯堡的格特魯德・赫斯（Gertrud Hesse）曾為她的模型拍
照。舉例來說，在1936年著名的女性雜誌"*Deutsche Frauenkultur*"
聖誕節版中就曾出現她的餅乾照片，朱耶許-福卡更在雜誌文章裡被
明確地稱作藝術家。兩年後，她的資助者馬克斯告訴她：「聖誕節時
期，整個柏林市都用妳的蛋糕裝飾，在沃特海姆就有幾個店面櫥窗都
是。有付工資給妳嗎？蛋糕種類繁多，讓人眼花撩亂無從選擇！」在
1937年，這次的成功經驗鼓舞她授權哥本哈根的凱德紹百貨公司（Kay
Dessau's department store）代理販售。但隨著戰爭的爆發，在她家鄉的
工作坊及丹麥連鎖店的生產都結束了。

　　餅乾不吃的話會腐壞，當有人考慮要收集經典藝術市場中的整套
作品時，那麼保存便是個問題。儘管如此，1934年時在愛爾芙特當地
的歷史博物館就對將造型餅乾放到「玻璃後」陳列收藏有興趣。隔年
位於貝耶烏爾宮（Bellevue Palace）的柏林德國民俗藝術博物館也表達
他們的興趣；在1936年七月，她被曼海姆藝術宮的館長沃爾特・帕
薩奇（Walter Passarge）邀請參加「當代德國裝飾藝術的特別展」。帕薩
奇之後寫道：「當然，妳可愛的蛋糕再次廣受喜愛，它們是展覽中的
『暢銷品』。市長也相當滿意。一部份已經售出；其餘的，我們會保
存於正在收集的當代永恆藝術及工藝品展」。在當代《德國裝飾藝術》
（*Deutsche Werkkunst der Gegenwart*）書中，他特別為她的餅乾開了「餅
乾區」（Gebäck）的區塊；在1937年時也是如此作法，到了1943年，這
本暢銷書更擴大涵蓋了兩張她的作品照片。其中也引述朱耶許-福卡
將自己稱為「藝術設計師」。

「我的工作是唯一的成功，
但不幸的是，在財務方面卻
不是。付出所有的時間與努
力卻帶來太少收入。」

莉蒂亞·朱耶許-福卡

最後，就是因為朱耶許-福卡被允許參加商展才能造就在博物館層面的成功。後來納粹設計中的民俗藝術浪潮更提升了她的成功。但她的作品與納粹文化相呼應的局面，後來證實對她的受歡迎程度（及利潤）是不利的。回想後，她曾這樣說：「我的工作是唯一的成功，但不幸的是，在財務方面卻不是。」以及「付出所有的時間與努力卻帶來太少收入。」戰爭也帶來了傷害，1942年格拉西博物館並未舉辦商展。到了1943年二月，她隨即宣布工作坊停業。「我的蜂蜜、花園、小店及山羊幫助我們度過了戰亂時期。」1945年後，朱耶許-福卡再次燃起對烘焙的興趣當作聖誕節時的嗜好；1965年，她還將她的薑餅寄給遠在美國的沃爾特與伊斯·格羅佩斯 (Ise Gropius)，感謝他們創立「最好的包浩斯傳統」。她的最後一項任務就是將藝術餅乾的模型永恆保存，至今仍陳列在柏林的包浩斯檔案室中。朱耶許-福卡的餅乾從友誼的象徵轉化成利潤導向的女性作品，無論是民俗作品或裝飾藝術，那都是包浩斯的代表。

伊斯・費林 (Ilse Fehling)

伊斯・費林 (Ilse Fehling) 在但澤 (Danzig,當時是德國一座城市,現重新命名為格但斯克 [Gdańsk],成為波蘭的一部分。) 長大。費林是3D藝術領域的革新者,能創作雕刻品、陶瓷、設計戲服及布景、還能素描及繪畫。她的首創作品皆申請專利,雕刻品也得過不少獎項,更因大膽的電影服裝提升名望。但她也掙扎、心碎過,特別是在德國紛擾的那些年中。

1919年,費林進入柏林有名的賴曼藝術學校 (Reimannschule) 學習劇服設計與縫製,包含歷史劇劇服、布景設計、平面藝術設計,最重要的是雕刻,她在柏林應用藝術學院也曾選修此科目。約翰・伊登與喬治・莫奇 (Georg Muche) 任課的包浩斯基礎預備教育課程在1920年因她而開始;她也修過保羅・克利的課,也在劇場工作坊中上過羅塔・施瑞爾 (Lothar Schreyer) 及奧斯卡・史勒姆 (Oskar Schlemmer) 的課。1922年秋天,費林取得圓螺旋型的木偶劇場和布景專利,以連續的動作能與觀眾有新層次的互動。同年,她在3D形造研究中也創造出抽象雕刻品,作品預告著包浩斯摒棄輻射狀構圖的純粹性及建構主義的表達方式。有些政府官員注意到費林的雕刻品,其中包括藝術歷史學家卡爾・喬治・黑斯 (Carl Georg Heise) ——他曾是阿比・瓦堡 (Aby Warburg) 與亨利・沃夫林 (Heinrich Wölfflin) 的學生——呂貝克的聖亞納博物館 (St. Anne's Museum) 館長。他買下費林其中一件雕刻品珍藏。

三年後費林離開包浩斯,在1923年,她與亨利・威汀 (Henry S. Witting) 結婚。在柏林經營自己的工作室,以劇場設計師身分獨立工作。1926年,她在作品集中加入劇服設計,剛開始與電影《愛》(Liebe) 合作。此電影由舉世無雙的伊莉莎白・伯格那 (Elisabeth Bergner) 主演,費林也曾為她雕刻半身像。費林為現代派公司費爾頓-佛丹 (Velten-Vordamm) 設計陶瓷藝品,而她的包浩斯同伴瑪格麗特・海曼-洛賓斯坦 (Margarete Heymann-Loebenstein) 於創立哈爾陶瓷工作坊 (Haël) 前曾在那裏工作。費林的女兒蓋比在1928年出生;但隔年她就與丈夫離婚。

費林在1931年獲頒普魯士學院的羅馬獎時,她儼然已成為一名藝術家。她的作品已經在美術館展覽中佔有重要地位,而這個獎的用意在於她可以在

生:1896年四月二十五日,但澤,德國 (現為波蘭格但斯克)。

卒:1982年二月二十五日,慕尼黑,德國。

加入包浩斯:1920年。

居住地:德國但澤 (現為波蘭格但斯克)、德國、義大利。

左上：伊斯‧費林，1927年。
右上：3D形造研究，1922年，灰泥。

羅馬的德國學院與其他藝術家，包括她的包浩斯同伴及友人威那‧吉爾（Werner Gilles）與邁克斯‧培斐‧瓦頓福爾（Max Peiffer Watenphul）一起於馬西默別墅（Villa Massimo）度過無憂無慮的一年。然而，這般的成功卻無法保護像費林這樣的包浩斯女性遠離納粹的激進文化政治，她的作品自1933年被禁止展覽。

費林身為雕刻家的職業生涯真正結束了，但她仍能在電影產業繼續工作。直到1936年，她已經是托比斯電影（Tobis Film）服裝設計的負責人。「知名電影設計師伊斯‧費林，這領域最棒的從業者之一」，她樂觀地在〈庫存品的驚奇〉（The wonder of the stock）短文中寫到關於搜刮工作室的服裝庫存來變出一套又一套了不起的劇服；一個有意思的主題來幫助時尚讀者度過第二次世界大戰的苦行生活。費林主張：「任何一個存有一點點幻想的女性（怎樣的女人沒有幻想呢？）皆能有創意地再改造。」為無政治傾向的電影產業工作，輕易就與納粹的宣傳活動有交疊：女人可以為戰爭縮衣節食但仍可以保有時尚。同時，費林的奇特劇服設計不可思議地聯想到她及其導師奧斯卡‧史勒姆所指導的學生創造出來包浩斯劇場的不協調形體。

費林大部分的雕刻作品在戰亂時損壞，在1945年她罹患心理疾病。1950年代及1960年代早期，她只為少數電影設計衣服，且在1965年監督科隆電影院的室內設計工程。讓人不禁唏噓，要是在不那麼動亂的時代，費林會完成多少更棒的作品啊！

瑪格麗特·海曼 – 洛賓斯坦 (Margarete Heymann-Loebenstein)

包浩斯照片往往偏好以黑白來呈現且相當單調。不過，包浩斯陶藝家瑪格麗特·海曼-洛賓斯坦 (Margarete Heymann-Loebenstein) 使用爆發性色調及逗趣的設計顛覆了這樣的印象。沒幾個人像她一樣具體化戰間期包浩斯的「新女性特質」。從她的短髮、穿著男性襯衫與領帶的照片中，看的出來她確實有新女性的樣貌。但她走向更深刻的解放。在包浩斯時，她直接挑戰試著把女性趕出陶藝工作坊的人。二十四歲時，她參與建立了一個高度成功的公司——哈爾藝術陶瓷工作坊 (Haël Werkstatten für Künstlerische Keramik)，實現了包浩斯期望將現代事物帶到家中的目標。即便自身發生悲劇變故以及全球經濟大蕭條，她仍帶領公司堅持下去。唯有國家社會主義政權與其合作者確實讓她無法承受。

瑪格麗特·海曼生於猶太家庭，在藝術活躍的科隆成長。她曾就讀科隆應用藝術學院及杜塞道夫美術學院，並在遠東藝術博物館研究過中國與日本的美術史。在1920年秋天，年僅二十一歲的她已在包浩斯佔有一席之地。然而當她完成第一個學期學業，卻被拒絕進入她所選擇的陶藝工作坊；原因只是主任決定不再收更多女性。雖然書籍裝訂工作坊提供一個位置給她，但海曼並未被威嚇。折衷方式就是1921年春天，當她在威瑪包浩斯持續修保羅·克利、葛敦·葛爾諾和喬治·莫奇的課時，陶藝工作坊提供她一個臨時的位置，讓她到多恩堡研修。在接下來的第三個學期，包浩斯教授再次拒絕她進入陶藝工作坊。工作坊主任格哈德·馬克斯解釋他與形構教授邁克斯·克雷罕覺得她也許有天賦，但不適合陶藝。海曼雖然提出抗議，但男性主管卻不讓步，所以她就永遠離開包浩斯。

1922年海曼接受位於柏林西北方費爾頓 (Velten) 現代派費爾頓-佛丹陶藝公司提供的藝術助理職位。隔年，她嫁給經濟學家古斯塔夫·洛賓斯坦 (Gustav Loebenstein)，且與他的哥哥丹尼爾一起創立陶藝公司，製造現代化、實用性及美觀的家用品給消費者使用——這主意完全是照著包浩斯劇本走。他們在費爾頓鄰近的一個村莊馬維茨 (Marwitz) 找到一家廢棄的陶瓷工廠，把公司取名為「哈爾」(Haël)，他們姓氏第一個字母組合的德國發音。海曼-洛

生：瑪格麗特·海曼，1899年八月十日，科隆，德國。

卒：1990年十一月十一日，倫敦，英國。

加入包浩斯：1920年。

居住地：德國，英國。

右上：瑪格麗特‧海曼-洛賓斯坦，約1925年。

左上：哈爾標誌

賓斯坦負責設計公司的茶具組、花瓶、仙人掌盆、菸具組以及其他品項，而她的兄弟則負責經營管理。

　　除了極佳的設計，從一剛開始「哈爾」就具備其他競爭者所缺少的：聰明的商標策略。每一件哈爾的產品上都印有公司商標可以辨識，一個圓圈及線條組合的視覺拼圖，可還原成字母「H」及「L」，也許又像母音變化的「a」跟「e」。三位年輕老闆相當努力，在展覽中展示他們討喜的現代化陶藝並經由廣告提高能見度，哈爾的產品銷售額飆漲。不僅社會大眾喜愛，關於哈爾

的評論隨之而起。在1924年《藝術及應用藝術》(Kunst und Kunstgewerbe)一書中，費里茲‧溫德蘭(Fritz Wendland)表達出對於這新嘗試的興趣，「在簡單好看的形體上運用相當新鮮豐富的裝飾，清楚的強調手繪線條，讓人不經意想到雋永耐用的家用品……作品靈感驅使技藝走向型態、顏色及裝飾徹底現代概念化。」像當代大部分的包浩斯成員一樣，海曼-洛賓斯坦越來越趨向專注在型態簡單的構成主義。一組基本由圓形及三角形組成的茶具組——從1920年代晚期到現在被稱之為「漢高盤」(Scheibenhenke，碟狀把手)——以有趣的方式體現所謂的簡單。有大量的亮色系可供選擇，漢高茶具及咖啡組成為哈爾的經典商品，且材質不限於陶瓷；海曼-洛賓斯坦也設計了一個哈爾少量的奢華金屬產品系列。

到了1920年代晚期，哈爾已經大約有一百位員工，而產品也外銷到法國及英國，最遠到非洲、澳洲、南美及美國。但在1928年發生一樁悲劇，她的丈夫與大伯開車到著名的萊比錫商展參展時，因車禍過世。海曼-洛賓斯坦獨自領導公司，必須身兼設計及管理職，還要撫養兩個小孩。她做到了，而且即使1929年全球性的經濟大蕭條開始，她仍帶領公司度過困境。當年《陳列櫃》(Die Schaulade)雜誌的一篇評論明述她的才能：「哈爾工作坊的(女性)負責人將工廠的藝術與生意發展到極致，且持續努力地推陳出新製造新商品。」到了1932年，即便金融危機持續延燒，海曼-洛賓斯坦創新推出諾瑪(Norma)系列。在介紹冊中如此形容此系列：「在此我們推出哈爾『諾瑪系列』，規格化的型態，精美而未上釉，首創的陶藝系列。可掌握的設計，外觀優美，耐久實用。另外還有一樣，令人驚嘆的低價，讓哈爾『諾瑪』系列顯得與眾不同。」標準化降低了生產成本，且「諾瑪」只有幾種顏色可選擇，經典日光黃、黑色或棕色，內部只有白色。

> 「作品靈感驅使技藝走向型態、顏色及裝飾徹底現代概念化。」
>
> 費里茲‧溫德蘭

上：「漢高盤」哈爾茶具組，約1920年代晚期，
上釉粗陶器，設計181號，釉色26號。

右：1929年，《浩斯霍夫花園》（*Haus Hof
Garten*）雜誌內頁「新創陶藝：哈爾工作坊
（Haël Werkstätten），費爾頓」。由上到下：
金屬銀帶有象牙及暗色「鈕釦」手把的茶具
組；菸壺上有海綿支托以保持菸草新鮮；銀
碗及菸灰缸。

Silbernes Service mit dunklen Knöpfen und Elfenbeinknöpfen. Dose mit dunkler Platte

Tabakstopf mit Schwammeinlage zur Frischhaltung des Tabaks

Silberne Schalen und Aschenbecher

NEUE
KERAMIK

Haël-Werkstätten, Velten

S. Frank phot.

上：哈爾「諾瑪」茶具組，有彩色釉的陶器，
1932或1933年。

右：四個瑪格麗特‧海曼-洛賓斯坦（後改名
為格蕾特‧馬克斯）創作陶瓷物件，由哈爾工
作坊生產，馬維茨，1923–1934年。

　　納粹在1933年初取得政權後不久，哈爾一切似乎都還順利。公司宣布將再次在萊比錫商展中展出，三月時在《廣闊世界》(Die Weite Welt)雜誌中對它們最新的產品也有正面評論。但政治氛圍急速變化，在七月海曼-洛賓斯坦被兩位不滿的員工向國家社會主義黨當局舉報「藐視還敷衍德國州政府」。她意識到自己處於危險中，最後決定關閉工廠。1934年四月底，海曼-洛賓斯坦以四萬五千國家馬克(Reichsmark)將哈爾的建築物、爐子、陶瓷模及完整的客戶名單賣給亨利‧史其爾德博士(Dr. Heinrich Schild)，由一位年輕名叫海德薇‧博爾哈根(Hedwig Bollhagen)的陶藝家全權管理。這價格實在太低了，所以接下來的幾十年間德國政府以兩倍的價錢補償她。

　　1935年納粹的宣傳文件《襲擊》(Der Angriff)中一篇文章〈恐怖房間內的猶太陶瓷〉(Jewish Ceramics in the Chamber of Horrors)講述了一個非常不一樣的故事。慶祝著「猶太人」放棄工廠拋棄員工後，長達十四個月老鼠及蝙蝠猖狂肆虐，直到大淨化開始，「德國」陶藝產業終於回到馬維茨。自1934年四月，公司有了新師傅。年輕工人在幾個月內就建立了新工廠。來自馬維茨及鄰近區域將近四十位男女站在德國工人陣線的標誌下（即齒輪中的納粹卍黨徽）；1934年九月一日起，（他們）能再次根據傳統的技藝在工作檯前捏製、轉動（拉坏輪車），上色及燒製。一位女士站在他們中間帶領著整個工廠。

　　這篇文章做了很多不實的細節報導，但根據文化歷史學家烏蘇拉‧休斯頓‧韋德曼(Ursula Hudson Wiedenmann)的說法，最不公平的是超過百分之五十博爾哈根的「德國」設計——包括這篇文章中出現的「優美的德國」設計——都不是她的，而是海曼-洛賓斯坦的設計。博爾哈根使用同樣的外型，換了釉色，在上面蓋上她的名字縮寫，一個她從哈爾學到的把戲。

　　在1936年十二月移民到英國之前，海曼-洛賓斯坦在柏林待了兩年多。透過她經生意認識的熟人介紹，很快地就接到柏林公司的設計案，更嘗試重製她之前在哈爾的設計，包括漢高盤的柔和版。在1938年，她與一個英國人，哈洛‧馬克斯（Harold Marks）結婚，從此之後改名為格蕾特‧馬克斯（Grete Marks）。她創立了自己的格蕾塔陶器製造公司（Greta Pottery），僅有幾位員工，但隨著戰爭爆發，她的事業再次關閉。女兒法蘭西斯‧馬克斯在1941年出生；而戰後，格蕾特‧馬克斯創立了自由型態陶器工作室。因為哈爾，廣泛大眾對她仍然印象深刻，因為她創立了獨一無二的品牌，讓他們有機會將現代化帶回家。

貝妮塔・科赫－歐特（Benita Koch-Otte）

編織家貝妮塔・歐特（Benita Otte）在申請到包浩斯入學前已經因為專業知識累積財富。第一次世界大戰爆發前，在1908年她已從克雷費爾德（Krefeld）的第二女子中學畢業，而五年後，通過教學考試中的第一試：杜塞道夫繪圖學院（Düsseldorf Drawing Academy）舉辦的教學考試。接著1914年在法蘭克福的女子教育協會（Frauenbildungsverein）通過教導體操的國家教師考試。隔年，在柏林通過另一個認證縫紉教師的國家考試。當她從1915到1920年在烏丁根（Uerdingen）的市立第二女子學校開始教縫紉、體操及繪圖時，已經具備相當資格。在1918年，她的教師資格已完全通過認證。這也意味著當她決定進威瑪包浩斯繼續深造時，她已經二十八歲了。這個決定的促成因素可能是1919年她自己在前威瑪美術暨應用博物館的一個作品展，經由此展，她有機會認識包浩斯。跟她很多的學校朋友相比，就專業及教學經驗而言，她已經相當有資格。

1920年夏季學期她入學時，第一堂課就是在編織工作坊。就在幾年後，她在家鄉額外註冊兩堂高級訓練的課程；1922年在克雷費爾德的紡織學校上印染課程，以及兩年後，在克雷費爾德絲料編織學校上所謂的編織與材料理論的生產者課程。這些資歷再加上她1923年的技能專題，不只讓她有資格在包浩斯任教，也促成她在1923年包浩斯展的準備過程中貢獻良多。在號角（Haus am Horn）模型屋中，她想出在兒童房擺放可水洗的地毯，更著名的是一個「機能性廚房」，設計涵蓋了邏輯性及幾項旭特・利赫茲基（Schütte-Lihotzky）的「法蘭克福廚房」元素。沃爾特・格羅佩斯更展現誠意地委託她設計包浩斯校長室中的地毯。

因為她的成功，在包浩斯從威瑪搬到德紹後沒多久就離開了。在包浩斯前主任格哈德・馬克斯的支持下，在1925年秋天到哈勒（Halle，亦稱為薩勒Saale）的哈勒傑比成史坦（城堡）藝術和設計學院（Burg Giebichenstein Kunsthochschule，習稱「城堡」）擔任專科老師及手工編織工作坊的藝術主任。很多前包浩斯學生曾「顛覆城堡」（stürmte die Burg），其中一位就是她的前校友亨利・科赫（Heinrich Koch），他曾在「城堡」派對中的包浩斯樂團演奏薩克斯風。兩人

生：貝妮塔・科赫，1892年五月二十三日，斯圖加特，德國。

卒：1976年四月二十六日，德國比勒費爾德。

加入包浩斯：1920年。

居住地：德國，捷克斯洛伐克（現今捷克共和國）。

右上：貝妮塔・科赫-歐特，約1925–1929年。

右：貝妮塔・科赫-歐特，小孩房用的地毯，1923年。

在1929年結婚，在那之後科赫在「城堡」選修攝影課程，後來還當上攝影系的教授。就像所有前包浩斯人在傑比成史坦的命運一樣，在1933年五月這對夫妻被解雇，並在納粹執政幾個月後，被新政權奪去他們的教師資格。他們搬到亨利的家鄉布拉格，在當時的捷克斯洛伐克境內，同時代表著貝妮塔身為編織家的職業生涯結束。亨利找到國家博物館內擔任攝影師的職位，他被給予一個設立攝影檔案室的任務，還強迫他的妻子跟他一起執行這個專案。

當亨利在1934年一場意外中過世時，貝妮塔被迫要再找個工作謀生。她致電給幾位老朋友，而後得到了貝特利學院 (Von Bodelschwinghsche Anstalt Bethel，位於德國比勒費爾德的一個收容癲癇與身心障礙患者的機構) 編織工作坊的管理職。1937年，她通過比勒費爾德商業會主辦的工匠碩士考試 (Meisterprüfung)。她決心要在此機構長期無給職服務那些需要照護的人，但這代表的是永久背離現代主義，而且面臨與當局者無止盡的斡旋 (常常是讓步)。新客觀主義攝影師亞伯特·藍吉爾-派茲 (Albert Renger-Patzsch) 於1937年的攝影系列中紀錄了編織工作坊的工作情形，也拍攝被照護者的照片。隨著納粹政權採用安樂死制度，這些被獨裁政權認為是「退化」的人變成政治議題。科赫-歐特抱持著基督教仁慈的態度生活，對天主教教義相當虔誠；在貝特利，即使在她1957年退休之後，她仍繼續著治療工作，並訓練學徒及工匠。

露·薛佩爾－伯肯坎普 (Lou Scheper-Berkenkamp)

早期的包浩斯學生 —— 畫家露·薛佩爾-伯肯坎普 (Lou Scheper-Berkenkamp)，畫布中的魔術師、雜耍演員、天使、奇異動物及其他稀奇古怪的生物所展現的大宇宙，洋溢著無限的創意，使得她的作品具有獨特迷人的魅力。據她家人的回憶錄所述：「她故意將自己定位在丈夫希納克·薛佩爾 (Hinnerk Scheper) 的影子下，將自己的抱負寄託於達成他的成就，使他成為包浩斯講師、顏色設計師及柏林的文物管理員。」雖然有時候她的才藝呈現在大眾面前，更常是被隱藏起來，但終其一生她仍是個藝術家。在她1930年寫給伊斯及沃爾特·格羅佩斯的信中有一句名言，她寧願「在虛無中取得平衡也不願因教條戰戰競競」，清楚表達出她對於獨立的渴望。

她的父親是韋塞爾 (Wesel) 的紙袋製造商，原名是艾米娜·路易絲·伯肯坎普 (Hermine Louise Berkenkamp)，但常被叫做「露」，原本想攻讀德國哲學或醫學。但她的繪畫老師瑪格莉特·沙爾 (Margarete Schall)，後來也在包浩斯就讀一學期，建議她去以創新教法聞名的美術學校就讀。在1920年，伯肯坎普開始她在威瑪的學習，而她早期有趣的印度墨水創作帶有金銀絲細工裝飾的草圖，引起講師保羅·克利的注意。她似乎也上過荷蘭風格派運動創辦人特奧·范·杜斯柏格 (Theo van Doesburg) 的私人課程，他的極端機能性構圖與這位年輕包浩斯人的神祕水彩畫迥異。

伯肯坎普選擇專攻壁飾工作坊，在包浩斯早期是很獨特的選擇，因為大部分女性選擇到所謂的「女子系」編織工作坊。到了1921年底，她承接了幾件重要的委託，包含在柏林的索末非 (Sommerfeld) 及斯托克爾 (Stoeckle) 建築的內部壁飾。在課堂上她與希納克·薛佩爾，一個繪畫技工相遇，薛佩爾在1922年通過工匠碩士考試，兩人在同年的平安夜結婚。1923年她暫時從包浩斯休學，因為他們第一個孩子簡·吉斯貝特 (Jan Gisbert) 出生，她回到韋塞爾的父母家住，此時期寫過一些有精美插圖的信給她的丈夫，裡面結合了書法元素及描述的插圖。

當她的丈夫被派任為新建包浩斯的壁飾工作坊主任時，全家先搬到德

生：艾米娜·路易絲·伯肯坎普，
　　1901年五月十五日，韋塞爾，
　　德國。

卒：1976年四月十一日，柏林，
　　德國。

加入包浩斯：1920年。

居住地：德國，蘇聯。

右上：露·薛佩爾-伯肯坎普，寫給希納克·薛佩爾的插畫信，1925年，墨水和水彩。

右：露·薛佩爾-伯肯坎普，約1935年。

紹的公寓，後在1927移居到莫奇斯（Muches）的教師宿舍中。即使他們第二個小孩——女兒貝妮塔，在當時出生，薛佩爾-伯肯坎普仍再度註冊成為學生，而這一次是在奧斯卡·史勒姆的劇場工作坊設計布景及劇服，同時也參與生產。她參與了1928年在哈勒舉辦的年輕包浩斯畫家聯展。到了1929年夏天，她與丈夫一同搬到莫斯科，因她的丈夫被包浩斯給予公休假以設立一所州立設計事務所，提供建築顏色諮詢的服務。在她留在莫斯科的那一年中，不但協助薛佩爾的工作，也為《德語週報》（Moskauer Rundschau）撰寫文章與製作插畫，例如「標準的男性與女性」這系列。她的兩個小孩那一年間被送到貝西特斯加登（Berchtesgaden）的兒童之家，直到1931年一家人才在德紹團圓。在那不久之後他們見證了德紹包浩斯的關閉，包浩斯在柏林的重新開始以及最終解散。

　　不再是包浩斯人後，薛佩爾-伯肯坎普與她的丈夫開始雲遊四海，而且非常成功地將旅行時拍攝的照片賣給出版社。然而在1934年，薛佩爾被德國攝影記者的德意志協會（Reich's Association）拒絕入會之後，這個收入來源就消失了。他接受柏林展覽會的委任從事展位、壁飾及顏色設計；他的妻子只是偶爾以藝術家的身分工作，主要專注於扶養他們第二個兒子——1938年出生的德克（Dirk）。在戰時最後幾年，她著手創作手繪兒童書，之後由萊比錫的埃恩斯特·溫德利希（Ernst Wunderlich）出版社出版；但不幸地，這些書並不暢銷。她開始更專注在繪畫上，越來越頻繁參加藝術家機構，首先成為策倫多夫藝術協會的一員，接著加入專業視覺藝術家協會（Berufsverband Bildender Künstler），而在1951年成為柏林的藝術家集團德林「The Ring」（Der Ring）創始會員之一。

　　她的生活隨著薛佩爾在1957年過世之後再次改變，她回到包浩斯本部接受顏色設計顧問的委託，且參與了幾個大規模的案子，包括紐倫堡的德國國家博物館、柏林愛樂音樂廳及柏林泰格爾機場的設計。然而在七十五歲時，突然的死亡打斷了她在柏林參與漢斯·夏隆（Hans Scharoun）建造國家圖書館的顏色設計工作。

羅爾・留德斯多夫 – 恩斯特菲爾德（Lore Leudesdorff-Engstfeld）

多麼諷刺又悲劇的命運翻轉：1920年代，在她的眼睛被有名的柏林攝影記者奧圖・烏伯赫（Otto Umbehr）永恆紀錄幾年後，這位前包浩斯學生羅爾・留德斯多夫（Lore Leudesdorff）就被剝奪使用最重要的感官器官的權利。但即使失去視力，她仍以藝術家身分在她可用手感覺的蝕刻畫、青銅藝術品領域活躍。在這之前，她已經開始紡織設計師的職業，也成功地將織物變革為包浩斯所宣揚的工業專業用途。儘管沃爾特・格羅佩斯後來把她形容成「包浩斯初始的支柱之一」，但因為她的作品大多未保存下來且作品集相當奇特，留德斯多夫在經典包浩斯研討會中常被忽視。

霍頓絲・羅爾・留德斯多夫（Hortense Lore Leudesdorff）出生在來自於德國梧珀塔爾-愛伯費爾德（Wuppertal-Elberfeld）一個富有的商賈家庭，但在她父親於1908年早逝後，面臨社會地位及財務上的衰敗。母親只有再嫁才能回復家庭慣常的生活水準，然而在不久後留德斯多夫與她的姊姊森塔被迫前往科隆的兒童之家度過幾年的時間。她的繼父奧古斯特・恩斯菲爾德（August Engstfeld）——埃森煤礦廠的總經理——後來把這兩個小孩帶了回來。留德斯多夫在埃森的女子公立學校就讀，但在1920年沒拿到高中文憑就輟學了。她在完全看不見之前，曾短暫失去視力一個星期，極可能因為麻疹及缺乏維他命A的關係——這在戰亂物資被剝奪時是很常見的。她在戰後擔任漢諾威地區主教的約翰・立爾傑（Johannes Lilje）領導的青年運動的基督教分支認識一些朋友，如阿道夫・格里姆（Adolf Grimme），他後來成為德國社會民主黨（SPD）政權的文化部長及德國西北廣播公司（NWDR）的董事。

在愛伯費爾德應用藝術學校（Kunst-gewerbeschule）短暫工作之後，她在1921年搬到達姆施塔特，期望能到市立科技大學就讀。雖然因為她欠缺高中文憑而被拒絕入學，她因為鄰居建築師阿朵兒夫・梅特斯・史維恩特（Adolf Metus Schwindt）的推薦燃起要到包浩斯就讀的想法。身為德意志工藝聯盟（Werkbund，一個1907年由州政府贊助創立的藝術運動，目的在於改革建築及藝術）的一員，又在格羅佩斯的宣傳下，阿朵兒夫・梅特斯・史維恩特對這所學校相當了解。在包浩斯學校，並非由高中文憑來評斷資格，而是教師會的評估。留

生：霍頓絲・羅爾・留德斯多夫，1902年八月十六日，愛伯費爾德，德國。

卒：1986年八月二十六日，柏林，德國。

加入包浩斯：1921年。

居住地：德國。

左上：奧圖・烏伯赫拍攝：羅爾的眼睛，1928年。

右上：羅爾・留德斯多夫，縱切狀繡帷（Schlitzgobelin），1923年。

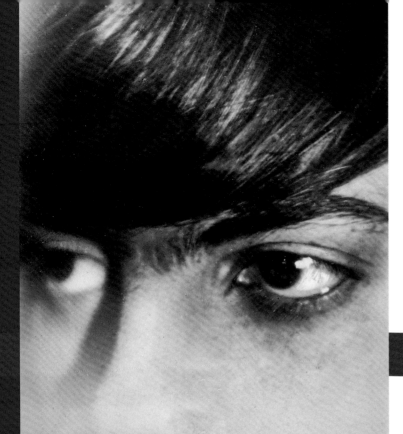

德斯多夫憑藉著從孩童時期開始繪畫，在威瑪包浩斯註冊1921-1922年的秋季班，研修約翰‧伊登所教的基礎預備教育。在1922年四月五日的教師會中，她被評估已順利完成基礎預備教育，之後可到紡織工作坊繼續學習，這在當時是大部分女性學員的去處。

她的第一個在立經紗織機上製作的作品是一件小塊縱切狀的繡帷，實用建構的設計，成功演釋早期包浩斯偏好的幾何形狀和諧的組成。這成為她訓練初期的一件編織樣本，已經展示出能將形狀結構及用色相當細心的結合，但在技術上較不純熟。在1922至1923年間，留德斯多夫以保羅‧克利的懷舊色階作品為參考，用柔和的淡色彩編織一幅大的抽象壁飾。她似乎對保羅的課特別感興趣，因為留德斯多夫的名字常出現在上課名單中；在1922年十月，她簽署了一份朋友起草的請願書，請求克利可以在接下來的冬季班中，繼續他一周一堂的常規課程。留德斯多夫的幾條披巾被記錄保存在包浩斯的相本中，這些相本使得工作坊的產品得以用照片記錄下來。她的披巾所使用的布料同時可用在窗簾與工業設計上，顯現這些披巾簡單而低價的工藝。

在包浩斯時期，留德斯多夫也創作了她所謂的「抽象」、各式各樣的蝕刻畫，更發展出將水彩、印度墨水及炭結合，並以網狀為基本圖案製成的技術，同時體現了包浩斯所教的方眼網細工蕾絲編織的紡織技術。1923年二月，留德斯多夫加入了包浩斯的廣告系，全力參與了學校第一次大型展覽的

準備過程，其中留德斯多夫的縱切狀繡帷與上述的大型壁飾，成為主要的展品之一。因此，她的名字與其他師生並列在柯特·舒密特（Kurt Schmidt）為此展覽設計的明信片上。然而，商業藝術從不是留德斯多夫感興趣的科目之一；可以肯定地認為這次出現在明信片上是因為她與同學赫爾伯特·拜爾（Herbert Bayer）的私交，當時兩人正在戀愛中。他是否是她的第一個真愛，從她兒子後來撰寫但未出版的傳記中窺視，卻幾乎無法從她的回顧中證實。儘管如此，她將這段情史轉化成幾篇較長的章節，刻畫在她的自傳式小說《廣闊天空下》（*Unter dem weiten Himmel*）——大約於1970年由杜塞道夫的波爾格（Bourg Verlag）出版社出版——在小說中，拜爾化身成「布魯諾」（Bruno）這角色：

「當她閉上雙眼時，布魯諾的臉龐浮現在她面前，非常近、就在眼前。他的碧綠雙眸及黑色睫毛，飽滿的雙唇及亮白的皓齒。幻想著布魯諾雙手輕捧著她的臉，兩人身體緊緊依偎著彼此，每分每秒不分離。她感受到心魂交融的悸動只屬於他一人。哦！布魯諾……在包浩斯那美妙的三年：學習、包浩斯的空氣，及布魯諾。我們命中註定在那裡相遇。」

與小說不同的是，與拜爾的真正關係只維持到1923年夏天，當拜爾前往義大利實現一年的見習之旅時，他遇見未來妻子艾琳·黑克特（Irene Hecht），後來與她有頻繁的書信往來。在留德斯多夫的書中，黑克特以一個傲慢的匈牙利女性角色出現，她在包浩斯出現的第一天就偷走了「布魯諾」——成為留德斯多夫書中的角色化身決定離開包浩斯的原因。

1923年秋天，留德斯多夫中斷她在包浩斯的學習，前往克雷費爾德的紡織學校研修一個學期——在她之前，崗塔·斯托爾策爾（Gunta Stölzl）和貝妮塔·歐特（Benita Otte）早已到訪。她極有可能在這裡發現自己有染色及布料印染才能，這些才能在她之後的職業生涯扮演非常重要的角色。總共讀了八個學期之後，經由後續的結業證書所記載，留德斯多夫應是在1924到1925年間離開了包浩斯。她並沒有被頒予正式的學位——這對編織工作坊的女性畢業生很正常，因為當地的工藝品協會並未舉辦出師考試——但之後格羅佩斯頒給她一個「專業學位」（general professional degree）。

「我在阿克美王子中負責畫背景，大部分都是我畫的，因為路特曼只是有想法，卻無法付諸實行。」
羅爾·留德斯多夫。

上：羅爾·留德斯多夫與其子勒內，1930年代，雷·蘇苞（Ré Soupault）拍攝。

左：《柏林：大都會交響曲》（Berlin: Die Sinfonie der Großstadt）宣傳卡片。集錦照片，1927年。

剛開始這個學位對她來說沒有重要性，因為在1925年秋天，留德斯多夫搬到柏林，成為前衛派電影製作人沃爾特·路特曼（Walter Ruttmann）的職業搭檔及伴侶。因為研讀過三年的電影歷史表演，她在他的電影中參與極深，直至今日，這些作品仍被視為經典的文藝作品。像是洛特·賴尼格（Lotte Reiniger）在1926年黑白電影《阿克美王子冒險記》（Die Abenteuer des Prinzen Achmed）的抽象劇本，此為現存最早的動畫電影；以及1925年的抽象動畫電視劇《歐普斯》（Opus）第三集和第四集；還有1927年經典紀錄類長片《柏林：大都會交響曲》（Berlin: Die Sinfonie der Großstadt），以及幾部製作人朱利斯·皮歇維爾（Julius Pinschewer）的公司委託的手繪動畫廣告片。正如她在一次訪問中所強調，她因製圖的技能而特別受到珍視：「我在阿克美王子中負責畫背景，大部分都是我畫的，因為路特曼只是有想法，卻無法付諸實行。」在今日，一些文本元素動畫的創新，都是留德斯多夫的功勞，甚至柏林電影的組織性管理模式，與複雜的產出流程，似乎都是她手中開始的。

在藝術及美學觀點上，兩人是心靈契合的，這就是為什麼未曾受過訓練的路特曼留下越來越多的工作給他的搭檔。然而，他卻沒有與留德斯多夫共享營收，當時她仍接受家人的資助，甚至她的創作人身分被刻意地消失在電影片頭中。她對這部被視為電影業的里程碑《柏林：大都會交響曲》的實現占了舉足輕重的角色，尤其1968年五月在與卡爾·佛洛因特（Karl Freund，1926及1927年歐洲福斯電影公司的主管）訴訟中，從她的證詞可得知。

「路特曼跟我一起寫了劇本，我獨自加了很多也改了很多東西……原本因為我跟他的緊密合作，路特曼希望我的名字出現在電影的片頭中，我見證了這部電影從一剛開始的誕生，到所有的台詞及細節，特別是在技術及組織部分，都是我獨立指導的。我還協助路特曼編輯的部分。」

之後她特別提到是她與路特曼一起寫劇本；他提出想法，但是留德斯多夫「實際執行」所有想法，因為他缺乏耐心。因此，她的角色不僅止於一個單純的助理，她所負責的工作對於這部電影的產生佔關鍵地位，她的名字絕對值得被放在片頭。然而，據說卡爾·佛洛因特要求要與路特曼同列導演，否則就收回對這部電影的資助。

在工作上與私生活與路特曼分開之後，留德斯多夫與喬治·弗爾達（Jorge Fulda）——柏林一間攝影工作室的老闆——有過短暫的親

密關係，而他們的兒子勒內(René)於1928年二月十八日出生。
同年，留德斯多夫與布料批發商馬汀・維納(Martin Wiener)結
婚，為他的公司哈維克(Haweco)設計印花布料，但兩人在1932
年決定分開，她開始經營自己的工作室。就在第二次世界大戰
結束後的那些年，她成為受歡迎的專門布料製作者之一，而這
些布料非常符合包浩斯精神，能連續生產以大量供應市場；然
而，就這些布料的設計而言，卻與包浩斯的正式作法大相逕
庭。她在第二次世界大戰前的設計作品大部分都遺失了，炸彈
將她大部分重要客戶的檔案都摧毀了，而她自己放在公寓的紀
錄，被美國士兵佔領時被破壞殆盡。

　　身為國家社會黨朝代的職業設計師，留德斯多夫義務加
入德意志藝術協會(Reichskammer der bildenden Künste)，在協會
的允許下，她教過無數的學生布料印花設計。但她從不是納粹
黨的一員。據她兒子所述，她將個人立場與政權統治分得很清

上：羅爾·留德斯多夫與其導盲犬，1970年代。

下：羅爾·留德斯多夫，《巴士克》（Basko），鑄銅，未標註日期。

楚：當她欣然接受新經濟政策帶來的成功時，她也對任何形式的政治暴力感到厭惡。她未加入任何組織性的反抗活動，但因為自身的道德倫理信念，她走私物品幫助受迫害的猶太人鄰居，甚至協助他們逃走。她還為一個扶助團體寄送快遞到瑞士，因為留德斯多夫認識其中一位德國紅十字會的成員。

然而，同期間她嫁給了一位工程師弗萊茲·里本傳普（Fritz Ribbentrop），他是納粹政權自1939年九月戰爭第一個月時任命的外交部長的遠親。剛開始她還能持續販賣她的布料設計，但是在1940年五月起，有將近六個月的時間，她在柏林的葛塞里爾斯書店當銷售員，以躲避被強迫從事戰時補給的任務。在自願加入德國紅十字會後，留德斯多夫接受訓練成為護理助手，並在不同的柏林軍醫院工作過，因此她被獲頒為德國戰時國際救護組織第二班的一員。因為猩紅熱的爆發，留德斯多夫被傳染而隔離，在這期間併發了脈絡膜炎，一種眼睛血管層的感染，最後逐漸導致失明。到了1952年，由於她的視力受限而無法再繼續設計師的工作。她重新整頓生活，為了繼續積極創作藝術，她開始以手指可以感受的技法創作。全力實現在包浩斯所學的乾性顏料蝕刻與青銅像鑄造，以作為慰藉，而這些作品在一些小型展覽中受到讚賞。在最後那幾年，她與前包浩斯成員頻繁聯絡。然而在中風兩次之後，1986年八月於柏林家中過世。

雷・蘇苞 (Ré Soupault)

直到她的丈夫飛利浦在突尼西亞被法西斯份子逮捕，雷・蘇苞才發現她懼怕丈夫的死亡會讓她崩潰。「我相信那就是為什麼我再也不哭。在那個時候，我已哭乾眼淚。」一個擁有很多名字的女人——恩娜・奈美耶爾 (Erna Niemeyer)、雷・瑞奇特 (Ré Richter) 以及雷娜特・格林 (Renate Green)——雷・蘇苞旅行全世界，且成為前衛派的核心。她從事過電影業、服裝設計、攝影，還當過翻譯及作家。但一切都是從包浩斯開始。

恩娜・奈美耶爾——直到1924年柯特・希維特斯 (Kurt Schwitters) 叫她「雷」之前所用的名字——來自波美拉尼亞位於布伯立茨 (Bublitz) 的一個傳統家庭，現為波蘭波波利斯 (Bobolice)。「在戰後，一切都是無望的慘灰，沒有任何地方有光明之處。直到我的畫畫老師韋瑪小姐——學校唯一明智的人——給我看格羅佩斯的宣言。包浩斯。那是一個想法，更是理想；製圖員與藝術家並沒有差別，大家是一個新共同體，我們應該建造未來的殿堂。而我想成為其中一分子。」當奈美耶爾在1921年春季入學時，只有二十歲，隨後開始上約翰・伊登為期一年的基礎預備教育。她回憶道：「伊登的課讓我們解放。我們不需要學習繪畫，而要學習再次去看、再次去想，同時學習認識自己。」她對伊登將瑣羅亞斯德教 (Zoroastrian) 及拜火教 (Mazdaznan) 綜合的教義感興趣，也學習梵文。包浩斯的改革氛圍對奈美耶爾有極深的衝擊，甚至她的家人因此聲稱她瘋了而試圖帶她回家。但格羅佩斯說服了他們，她更在1922年四月加入編織工作坊。她將梵文詞織入一張地毯中，後在1923年的國立包浩斯展覽中展出並賣出。

奈美耶爾透過朋友威那・格雷夫 (Werner Graeff) 於1923年在柏林認識實驗電影製作人維京・伊格林 (Viking Eggeling)，兩人很快墜入情網。她離開包浩斯轉而擔任伊格林的助手一年的時間，學習電影製作；她以完成《斜線交響曲》(the Symphony Diagonal) 作為回報，現今被稱為最重要的抽象電影之一，奈美耶爾則稱之為「視覺音樂」。當她回到威瑪時，已身心俱疲且營養不足，不久後她得知伊格林病得非常嚴重。她旅行到義大利調養身體。伊格林在1925年過世後，奈美耶爾製作出自己的《時尚影片》(Modefilm)，片中她

生：米塔・恩娜・奈美耶爾，1901年十月二十九日，布伯立茨，波美拉尼亞（現今波蘭波波利斯）。

卒：1996年三月十二日，凡爾賽，法國。

加入包浩斯：1921年。

居住地：德國，義大利，法國，挪威，西班牙，英國，美國，突尼西亞，阿爾及利亞，摩洛哥，墨西哥，瓜地馬拉，巴拿馬，哥倫比亞，祕魯，智利，阿根廷，巴西，瑞士，加拿大。

右：雷・蘇苞，於攝影師喬治・馮何尼根-修恩（Georg von Hoyningen-Huene）家門前，突尼西亞，1939年。

右下：雷娜特・格林（雷・蘇苞），有框架照片取自於《時尚電影：跳查爾斯頓舞的舞鞋》（Teile aus einem Modefilm: Tanzschuhe beim Charleston）。

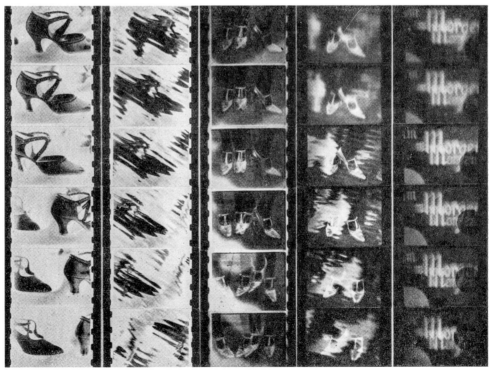

用擷取的框架展示跳舞中的鞋子及腳，以構成一種新的照片。這照片後來在1928年被藝術史學者漢斯・希爾德布萊恩德（Hans Hildebrandt）所出版，編列於女性藝術家章節，列名為雷娜特・格林（Renate Green），這是她在藝術及報章雜誌上所使用的名字。

1926年她與達達藝術家漢斯・瑞奇特（Hans Richter）結婚，兩人於1922年就在包浩斯認識；他們的柏林公寓成為前衛派藝術家與朋友聚會的場所，包括了謝爾蓋・愛森絲坦（Sergei Eisenstein）、路德維格・密斯・凡德羅及費爾南・雷捷（Fernand Léger）。這時叫做雷・瑞奇特的她開始擔任運動世界照片雜誌的時尚新聞記者，但到了1927年她與瑞奇特就分開了（1931年才正式離婚），接著前往巴黎從事駐外記者的工作。她很快地融入前衛派的圈子，她的朋友包含費爾南・雷捷、曼・雷（Man Ray）、李・米勒（Lee Miller）、蒙帕那斯的琦琦（Kiki of Montparnasse）及佛羅倫斯・亨利（Florence Henri），當中佛羅倫斯還為她拍過迷人的半裸照。

若將她的包浩斯技能與時尚工作結合，雷成為設計師就只是時間上的問題而已。雷在琦琦的生日派對上認識亞瑟・維勒（Arthur Wheeler），一個美國百萬富翁，他覺得雷看起來像是百萬鈔票，因此贊助她的公司——雷運動用品（Ré Sport）。這間店在1931年開幕，內部裝潢由密斯・凡德羅設計（當時他已是包浩斯的校長），然而在1930年，她已經設計出最具原創性的發明：變形服飾。這是一種專門為忙碌的時尚女性所設計的服裝，可以變化十種完全不同的樣貌。「我一直有個具體的想法；秘書或女業務之類的職業女性，想在晚上工作後出去玩，但無法先回家，因此有了變形洋裝。」重新思考服裝來符合像她這樣的新女性期望展開生活的希望，她創作出其他的變形服裝：褲裙（Hosenrock）是設計給想要在工作後運動，或是想要不打包行李直接跳上火車度過周末的職業女性。這種服裝設計概念出版在工藝聯盟（Werkbund）的設計雜誌《形構》（Die Form）中，她的作品集由曼・雷所拍攝，並在百貨公司中販售。時尚雜誌記者海倫・格朗德（Helen Grund）在《法蘭克福報》副刊「致女人」（Für die Frau）評論雷娜特・格林的服飾「完全根據新社交原則所設計。」

維勒在一次車禍中喪生，雷運動用品被迫在1934年關閉；雷靠著私人的服飾客戶及雜誌賺取收入。那時她已經認識超現實主義詩人及新聞記者飛利浦・蘇苞（Philippe Soupault，1933年在俄國大使館），「在1934年四月一日，我們都佇立街頭。兩人再也沒有家。我們在同一天前往實地報導。」他們開著雷的老雷諾車遊遍整個歐洲，為了在他的文章中加

下：雷・蘇苞，馬德里的孩童（Kinder in Madrid），1936年。

上：雷·蘇苞，未命名，保留區，
突尼斯，1939年。

入圖片說明，她負責拍照。從膠片相機到祿來福來 (Rolleiflex) 6x6，後來再到萊卡 (Leica)，這樣的轉變對她來講是容易的，而曼·雷也給了她一些建議。當西班牙在1936年陷入內戰時，她在那裏拍攝照片。一張迷人的小女孩勇敢高舉拳頭的快照中，描繪著她模仿大人的團結姿勢，雷捕捉到她所謂的「魔法瞬間」，成為作品中最具特色的指標。

兩人於1937年結婚，而雷·蘇苞此後的餘生就只使用這名字。1938年他們搬到了當時仍是法國殖民地的突尼西亞，因為飛利浦在那裏創辦了反法西斯的突尼斯電台。在突尼西亞，她拍了很多流亡者、游牧人民、朝聖者及突尼西亞皇宮的照片。法國政府幾無付任何代價地徵收她的照片。「因此有時我發現我的照片被冒名刊登在報章雜誌中。」她曾收到一家當地警察的公司所發的為期兩天前所未聞之許可，可到突尼斯「保留區」(Quartier Réservé) 拍攝——社會放逐者或妓女的居住限制地。蘇苞在近乎空洞的房間內為她們拍照，她將她們以人看待，感同身受地凝視著並為其拍照，而她們以認真或溫暖的眼神回應。

1940年六月，新維琪政權開除所有著名的反法西斯份子，包括飛利浦在內，使得夫妻倆無收入來源。1942年三月某一天，飛利浦沒回家，雷相信他已經死亡；不久後她就得到他因叛國罪的指控被監禁。同年十一月，兩人坐上前往阿爾及利亞的最後一班公車，只為了逃離納粹不斷逼近的武裝軍隊。所有東西都被留下，也包含雷所有的底片；後來從她的突尼西亞朋友那邊得知一部分的作品被保留下來，約有一千四百張底片。兩人在阿爾及利亞度過艱困的一年，直到夏爾·戴高樂將軍委託飛利浦創辦一個法語新聞機構為美洲國家服務。1943年夏天他們抵達紐約，才有機會與歐洲逃亡者重逢，包含包浩斯友人赫爾伯特·拜爾及馬歇爾·布魯耶。其後他們遊遍中南美洲各國。

在戰爭結束後，即便共度很多苦難，兩人還是分開了。雷繼續住在麥克斯·埃恩斯特 (Max Ernst) 紐約的舊公寓中，以旅遊記者為職業。1946年，她回到了巴黎，但因為買不起相機，她開始了翻譯的工作。自1943年以來，她已經搬了四十多次家，終於在1948年快樂地於瑞士巴塞爾定居。1950年她買了一台二手相機，拍攝最後的實地報導系列，報導割讓給波蘭的東邊領土上德國難民的故事。在1967年，雷與飛利浦一起製作了一部關於康定斯基的影片。1970年代早年兩人住在同一棟大樓的不同公寓中，直到1990年三月十二日飛利浦過世。雷則在六年後的同日於巴黎市郊外的凡爾賽因心臟病過世。

安妮・阿伯斯（Anni Albers）

烏爾・穆勒（Ulrike Müller）撰寫

如果有包浩斯女性藝術家為自己創造出國際知名地位的，應該就屬安妮・阿伯斯（Anni Albers）了──一位1922到1931年於威瑪及德紹包浩斯學習的學生。在納粹黨於1933年掌權時，她與丈夫喬瑟夫・阿伯斯（Josef Albers）移民到美國，身兼自由藝術家及設計師、大學講師、作者和藝術收藏家。她不斷地以創新的技術及現代抽象藝術中高明的工序，將傳統編織工藝與合成材料結合，並於過程中激盪出創新的火花。1936年第一次到墨西哥研究美洲古代藝術，特別是馬雅及阿茲特克，成為她一輩子的靈感來源，在後續幾年，她只專注在抽象畫上。

被命名為安妮莉絲・愛爾莎・法達・弗雷斯曼（Annelise Elsa Frieda Fleischmann）的她，1899年出生於柏林的一個上層階級家庭，且受洗為基督新教徒。母親出身於烏爾斯坦德裔猶太人的出版商家庭，而父親則是傢俱製造商。在1922年，安妮（被認為是有點古怪又難搞的年輕女人）帶著她的藝術雄心來到威瑪包浩斯。在編織工作坊有個艱困的開端後，她很快地就燃起實驗「創新布料」的熱情，她後來解釋：「主因在於這些布料在顏色及組織上的豐富性。」她慢慢地發展出屬於自己的現代設計詞彙，諸如抽象、對稱主題，以及減少樣式只有基本款以達工業化生產。除了康定斯基與保羅・克利之外，她最重要的老師就是後來成為德紹編織工作坊師傅的同學崗塔・斯托爾策爾。在1930年，阿伯斯獲得包浩斯學位，於1931年斯托爾策爾離開學校時，短暫地與歐緹・貝爵管理編織工作坊。

到最後，阿伯斯被迫移居國外反而幫助了她的藝術發展。跟她丈夫一樣，先在北卡羅來納州新創校的黑山學院教導。除此之外，還為像羅聖塔爾與諾爾（Rosenthal and Knoll）這樣的大公司設計布料，且在自己的手工編織坊中製作地毯。到了1950年代，她的作品採用宗教哲學的特點，這曾在她的書中提到。她開始相信材料、樣式及主題能提供無限的創意，因為他們不斷地呈現出感知的不同可能性：在這裡是一個刻板的表面樣式，在那裡是個展開的空白，但在其他地方變成曼陀羅的花紋。阿伯斯重啟在包浩斯時促成她實驗的初衷：不將她自己的意志強加在任何物體上，只讓它們自己訴說。

生：安妮莉絲・愛爾莎・法達・弗雷斯曼，1899年六月十二日，柏林－夏洛登城堡，德國。

卒：1994年五月九日，橘郡，康乃狄克州，美國。

加入包浩斯：1922年。

居住地：德國、美國、墨西哥。

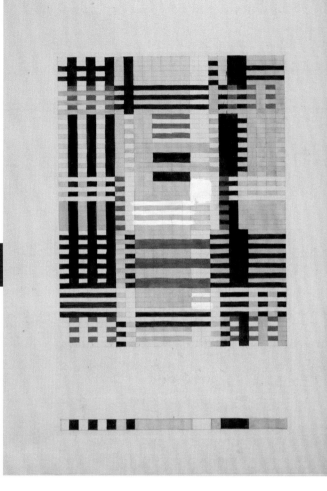

上：安妮・阿伯斯，1927年。

右：安妮・阿伯斯，壁飾設計，1926年。

　　她在1925年與包浩斯初級師傅喬瑟夫・阿伯斯結婚。他們皆對創新材料有種特別的迷戀，例如玻璃、金屬及合成材料，兩人的職業生活似乎相當有紀律。然而兩人的生活(特別是在美國的時候)常常都是吵鬧不休的。讓阿伯斯生氣的是，在眾人面前，她被認為是有名丈夫的妻子，而不是靠自己資格成名的藝術家。在1949年，當她在紐約的現代藝術博物館第一位以編織師身分展出個人展時，這樣的情況改變了。1965年，她接受紐約猶太博物館的委託，籌畫一個大屠殺受害者(六張祈禱文)的紀念展。1975年，她的作品在杜塞道夫的藝術宮博物館(the Museum Kunstpalast)中展出，以及第一次陳列在柏林的包浩斯檔案資料；而在1986年，最大規模的作品專題展在華盛頓特區的史密森尼學會舉辦。時至今日，她的作品已在全世界一百一十一個公開展中展出，從墨西哥到東京，從威尼斯到紐約。在1994年五月九日過世前四年，九十歲高齡的她在一次訪問中提到包浩斯早年的要素：「即使到今日還讓我深感興趣，在這個極度自由國土中的探索是相當有收穫的——而不是在既有語言的某處。」

格特魯德・阿恩特（Gertrud Arndt）

格特魯德・阿恩特（Gertrud Arndt）生命中只有約莫十幾年的時間是以藝術家的身分活躍著——這只佔她所見證近一世紀的歷史中一小部分。然而在這相對短暫的時間內，她創造出一些包浩斯學生中最深植人心的作品；嚴謹的布料幾何設計、傢俱裝飾布料、以及一系列從沒打算公開的穿著劇服的自拍像。步入家庭後，將她的才能隱藏起來，這是阿恩特的個人選擇，但也有可能是因為她在建築產業的工作被拒絕的結果，建築原本就是她希望在包浩斯研修的科目。

她原名格特魯德・漢茲克（Gertrud Hantschk），出生於拉蒂博爾（Ratibor）上西萊西亞鎮（Silesian，現為波蘭拉席波爾茲 [Racibórz]），在1916年定居到愛爾芙特之前，她與家人搬過幾次家。隔年，跟很多她這個世代的人一樣，她在十四歲完成學業後，出發尋找父母輩的生活中所欠缺的自由——很多人認為這條路造成世界大戰的災禍。在克利斯汀・沃斯道夫（Christian Wolsdorff）自傳中寫到阿恩特的文章敘述，她加入了以自然為導向的浪漫青年漂鳥運動（Wandervogelbewegung），違反了中產階級的習俗，她剪掉了髮辮，成為素食主義者，且正式離開天主教堂。而她想成為建築師的夢想也違反了當時既有的性別角色本質。

身為德意志工藝聯盟（the Deutscher Werkbund）一員的建築師卡爾・梅哈德特（Karl Meinhardt），提供這位叛逆的年輕女士在愛爾芙特一個學習的機會；她主要在辦公室中為設計師與建築製圖師工作，包含計算材料與成本，並處理書信通訊，同時也從事室內建築設計。此外她還代表梅哈德特為城市的地形圖進行拍攝。然而他們計畫的書卻從未出版，照片也都遺失了，但年輕漢茲克把這案子當成練習攝影技巧的機會，並學著在暗房中沖洗照片。漢茲克還在梅哈德特公司實習時期，曾到愛爾芙特的應用藝術學校選修繪畫課。

對二十歲的她而言，一個關鍵性的轉捩點就在參與沃爾特・凱斯巴赫（Walter Kaesbach）私宅的建設案時出現，當時他是愛爾芙特市立博物館的館長（現在的Angermuseum）。在他的安排下，康定斯基、保羅・克利及利奧寧・費

生：格特魯德・漢茲克，1903年九月二十日，拉蒂博爾，上西萊西亞，德國（現為拉席波爾茲，波蘭）。

卒：2000年七月十日，達姆施塔特，德國。

加入包浩斯：1923年。

居住地：波蘭，德國。

上：格特魯德・阿恩特，「偽裝照片」（Maskenphotos），編號37，約1930年，來自僅在1979年公開展出的一系列穿著劇服的自拍照。

右：沃爾特・格羅佩斯在威瑪包浩斯的辦公室，約1923–1925年；前方地毯由格特魯德・阿恩特創作，1924年。路西亞・莫歐尼（Lucia Moholy）拍攝。

林格（Lyonel Feininger）等藝術家的作品皆在館內展出，讓他有機會推薦這位有抱負及才能的學徒到包浩斯就讀。梅哈德特則推薦她對節奏有極佳的領悟，「對型體及顏色的敏銳感受」和「機智」；因此，她得到愛爾芙特市的獎學金，而在1923年秋季開始基礎預備教育，克利與康定斯基所教授的——特別是因為他們有多麼的與眾不同——對她有長遠的影響。

接著她也修了阿兒朵夫・邁耶（Adolf Meyer）的繪畫技巧課程，被認為是學生學習建築的下一步，但這在包浩斯尚未成為固定課程。在經過梅哈德特的密集訓練之後，這課程似乎沒什麼可以讓她學習的，未必是因為她是唯一上課的女性而感到不自在。不管是哪一種情況，在喬治・莫奇（Georg Muche）稱讚她在基礎預備課程中的其中一項作業，是個完美的地毯設計後，讓她決定轉到編織工作坊。儘管她

承認從沒特別喜愛紡織，她還說過「全都是針線活！」這類話語，漢茲克仍是簽下了學徒契約，讓她能沉浸在包浩斯的自由氛圍下三年的時間。她選擇跟著學校到德紹，而在1927年通過在薩克森格勞豪的編織指導學院主辦的技能考試。

在威瑪，她很快就上手地毯編織；她的第一件作品在1926年德紹包浩斯展覽的時候被賣出，而第二件作品最後用來裝飾校長沃爾特·格羅佩斯的威瑪辦公室，對學生而言這是多麼大的成就。而且，兩件作品都被編入包浩斯書籍《包浩斯工作坊新作品》(Neue Arbeiten der Bauhaus Werkstätten)；這就是為什麼在1926年漢茲克被形容為學校最重要的地毯設計師。沃斯道夫明確地指出，這樣的委託是一門有利可圖的生意，特別與其他不是每次都成功的包浩斯產品相比。同樣前途看好的還有她另外的編織作品，當中她利用了工作坊主任莫奇授權使用其最愛藝術作品的自由性，儘管有些人批評如此作法。她所倖存的壁掛、桌布、窗簾、服飾與傢飾，顯現絕佳工藝以及巧妙的顏色與樣式搭配。

更讓人驚訝的是在1927年技能考試當天，漢茲克決定不再坐在織布機前。1927年十一月二十七日，她嫁給了包浩斯畢業生，建築師阿爾弗雷德·阿恩特(Alfred Arndt)。夫妻倆離開包浩斯搬到普羅布斯策拉(Probstzella)，她的丈夫在那裡監督人民住宅的建設工程，當時住宅結構已完成，且因這項委任讓他們有錢舉辦婚禮。與這對夫妻的特立獨行相呼應的是他們沒有「正式的」婚禮照片，而是一張在德紹佩勒豪斯大樓其工作室關閉的照片。就在婚禮前一周，新郎與新娘以美術拼貼的形式草擬了一份「婚前協議」，當中兩人承諾(開玩笑地)要保持體格健壯。依照妻子的要求，阿恩特也應該要少抽點菸，還要存旅遊基金一同度過共有的假期。但她所列出的第一個「完美婚姻」的條件則是「男人與妻子間完全平等。」

然而，這對夫妻的不墨守成規並沒有反映在格特魯德·阿恩特的餘生，至少在藝術與專業領域上。回到德紹後，包浩斯校長漢斯·邁耶聘任她的丈夫為室內設計工作坊(包括金屬、木製及壁飾工作坊)的主管，與其他師傅的妻子相較之後，阿恩特將自己定位成「無事可做的人」。出於無聊，她重新開始攝影的舊嗜好。使用1926年買的相機，她拍了實物照、朋友歐緹·貝爵寫真以及著名的一系列四十三

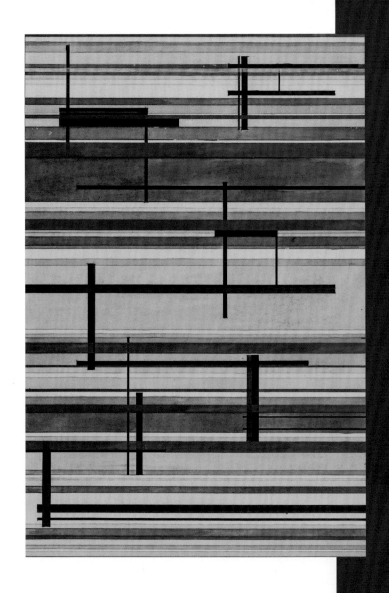

上：格特魯德·阿恩特，紅色系壁掛的初步設計圖，約1926年，水彩及墨水蓋過鉛筆畫於紙上。

右：格特魯德與阿爾弗雷德·阿恩特的婚姻契約，德紹，1927年十一月二十日，紙上拼貼。

張穿著戲服的自拍照，後來將這些自拍照稱為「偽裝照片」（Maskenphotos）。

　　她的女兒亞歷山德拉在1931年出生，隨後兒子雨果於1938年出生，她的攝影師工作也畫下句點。1933年春季包浩斯關閉後，阿恩特一家搬回普羅布斯策拉，在圖林根（Thuringian）的鄉間，阿爾弗雷德無法在小鎮靠著建築師的工作賺錢，而格特魯德除了照顧家庭與小孩外，還身兼丈夫辦公室的助理，因此他們回到愛爾芙特，當初她為梅哈德特工作的地方。除了為自己家創作作品以外，阿恩特拋棄了先前實現她藝術潛力的努力成果。仔細讀過這對夫妻的婚前協議，事實上從一句話中已有預告：「最多的快樂／最大的喜悅／取決於舒適的家庭生活。」在1948年這家人從蘇聯佔領的區域搬到達姆施塔特（Darmstadt），另一個新開始，也與一些包浩斯老友重逢。在阿爾弗雷德·阿恩特於1976年過世後，漢茲克不僅重拾攝影的興趣，而且她的其中一個設計被德國地毯公司福維克（Vorwerk）選為「經典」收藏品連續生產，並於1944年推出。

路西亞・莫歐尼（Lucia Moholy）

烏爾・穆勒（Ulrike Müller）撰寫

生：路西亞・舒爾茨，1894年一月
十八日，布拉格卡林，奧匈帝國
（現為捷克共和國）。

卒：1989年五月十七日，措利孔
（Zollikon），瑞士。

與包浩斯合作：1923年。

居住地：捷克共和國、德國、法國、
英國、瑞士。

　　她出色的黑白照片助我們塑造德紹包浩斯建築物的印象。這些照片是以仰角或是四十五度角拍攝，如此一來建築線條與對角線就能犀利清楚地突顯出來。她為包浩斯人拍的照片，例如歐緹・貝爵及沃爾特・格羅佩斯，同樣以這種表達方式展現。即便到了今日，如果沒有路西亞・莫歐尼（Lucia Moholy）所拍的照片，將無法架構包浩斯模樣，她被認為是二十世紀早期新客觀主義（New Objectivity）最重要的攝影師。她身兼記者、文字編輯及藝術評論家等身分。她具備語言和繪畫表達的才能，再加上淵博的歷史知識，同時又擁有明確的現代藝術概念。1923至1928年間她有系統地替包浩斯的建築物、作品及人物攝影。此外，她參與拉士羅・莫歐尼-那基（László Moholy-Nagy）的攝影試驗，還有包浩斯於1925至1930年十四本出版品中，都佔了舉足輕重的角色。

上：路西亞・莫歐尼，自拍照，1930年。

身為一位政治活躍的女性，莫歐尼在1934年逃到倫敦。在那裡她從事自由寫真攝影師及作者工作勉強謀生，在第二次世界大戰的尾聲，她終於取得英國公民身分。在那之後，她為新建立的聯合國教育、科學及文化組織監督並記錄文物保存專案，主要為中東的世界文化遺產拍攝影片與拍照。在1959年移民到瑞士之後，她逐漸將焦點轉移到傳遞現今所謂的包浩斯理想精神——尤其是與其他對歷史保存及對教授狂熱崇拜者不同的觀點。最早追溯至1948年，她就曾在文章〈包浩斯思想〉(Der Bauhausgedanke) 中闡述過這樣的精神：「包浩斯不是一種『風格』，不是一種固定公式，而是對材料、機能、形狀及顏色等的了解所衍生的表達方式，最後隨著時間，堅決地持續進化。」

雖然莫歐尼不斷地將她的攝影作品呈現在無數的出版品及展覽中，她的知名度並沒有反應在現實的重要性上。當中有很多理由，最重要的正如莫歐尼自己解釋的：她從來沒有在學校有個正式的、固定薪水的職位，反而最常被稱呼為莫歐尼-那基 (Moholy-Nagy) 教授的妻子，一個後來當她成為獨立攝影師時仍繼續存在的名字。縱有前衛實驗的觀念、專業知識、批判的理智、編輯成就以及出色的攝影技術，學術辨識度卻從來不是來自於包浩斯教授。

第二個低辨識度的理由與第一個理由有極大關聯性——一個不愉快的故事，她的底片似乎是在包浩斯教授大移民中遺失。學校在納粹政權強迫關閉後，她的朋友沃爾特·格羅佩斯特別在美國重建包浩斯的教學及藝術檔案。在他手上的莫歐尼原始底片大大幫助了他。有了這些底片，很多包浩斯人才能重建事業，但卻有十二年的時間，攝影師本人都無法取得自己的作品。正因無法使用自己的包浩斯作品，她錯失了以學校內部攝影師的身分為自己留下永恆名聲的機會。她的照片在流亡時益顯珍貴，因為學校的建築物及作品已經難見到或者不復存在了。她必須在倫敦重新開始攝影師的工作，因為她已經偏離藝術主流了。當她知道無法再取得底片時，曾在1956年的書信中哀悼：「除了我之外的每個人，都因使用我的照片直接或間接受益。」她堅持不懈地在律師的幫助之下，最終拿回部分底片及照片使用權。

即使身為年輕女性，好奇心仍驅使她成為一位攝影師。她的日記裡曾寫道，自己是一個想要徹底理解人、事、物及所有想法的觀察家。身為客觀主義擁護者，她將全部的創造力導向捕捉在她面前的一切，不管是人或物體，就在那一瞬

間，盡可能精準的構圖，用照相機盡可能地呈現真實感。雖然是黑白照片，宗旨在於拍出照片來記錄形狀、結構、題材的心態以及它的明亮與黑暗面。對她來說，無意識的構圖及藝術自我呈現是不相關的。莫歐尼的作品體現具有與她的個性相當符合的特質：富有同情心但克制、吸引人卻又保持距離、以及能讓人接受的創造形式——這些特質在好的新聞中也找得到。「對我而言，重要的是事物本身；在其中，我專注於核心，而朝向它，我才因此批判。」這是她寫在自傳中的《二十世紀的女性》(Frau des 20. Jahrhunderts)中的一個片段。同時代的人認為她的特性是冷靜、誠摯、審慎，對周遭環境敏感。面對帶著些許諷刺的愚蠢人們，她以頑強的態度堅持不懈地徹底根除不公平。舉例來說，處理自身作品第一手資料爭議時，她精心收集了所有謬誤的證據，後來成為她1972年出書的基礎《莫歐尼-那基，頁緣筆記，文史紀錄的矛盾》(Marginalien zu Moholy-Nagy: Dokumentarische Ungereimtheiten)。

她原名路西亞·舒爾茨(Lucia Schulz)，1894年出生於布拉格，當時仍是奧匈帝國的一部分。在與國家社會主義黨對抗之前，她的猶太血統在生活中原本不具任何重要性；她的中上階級家庭偏重美學與社會主義教育，父親為窮人提供免費法律協助。長大之後，她對德國青年運動及共產主義展現同等的熱忱，以烏爾里希·斯特芬(Ulrich Steffen)筆名發表表現主義的詩。於1910年通過高中考試之後，就在帝國皇家女子學院(the Imperial and Royal Women's College)攻讀英文、哲學及教育課程，並於1912年通過州立教育考試。之後她在布拉格大學研修哲學及美術史課程，另外也在父親的法律事務所兼差賺錢。1915年，她在維斯巴登日報(Wiesbadener Zeitung)擔任編輯部主任，而在1917年，她去到萊比錫，為庫爾特·沃夫(Kurt Wolff)與海波(Hyperion-Verlag)等出版社工作。她與阿道夫·岱納森(Adolf Danath，不來梅主要共產黨員之一)一同在亨利·福格勒(Heinrich Vogeler)位於德國沃爾普斯維德(Worpswede)的家中——「巴肯霍夫(Barkenhof)」——度過1918和1919年夏天，就是在那裏她拍下第一張照片。1920年，她接下在柏林知名出版商恩斯特·羅沃特(Ernst Rowohlt)出版社的職位，並與年輕窮藝術家拉士羅·莫歐尼-那基(László Moholy-Nagy)墜入情網。兩人於1921年結婚，她隨即成為匈牙利公民。1922年秋天，他們一起開發出攝影照片技術，然而這些作品卻成為丈夫的單獨創作而成名，兩人一起著作的書《繪畫、攝影、影片》(Malerei, Fotografie, Film)也是如此，在1925年僅以她丈夫名字出版。

當拉士羅在1923年四月被包浩斯聘為教授時，路西亞不情願地跟著他到威瑪，因為她比較喜歡待在城市裡。她的丈夫接下伊登的基礎預備教育，並擴大到金屬工作坊，而她則開始到專業攝影師奧圖·埃克納(Otto Eckner)底下學習，在1924及1925年到萊比錫製圖及書籍藝術學院(the Leipzig Academy for Graphic and Book Arts)選修複製攝影課程。一完成這些課程，她立刻將所學的攝影技術及出版經驗奉獻給學校。剛開始她以木製攝像機及7×9.5吋(18×24公分)玻璃板捕捉藝術品的影像，這些被用在包浩斯出版品及樣本書

右上：路西亞·莫歐尼，德紹包浩斯建築物，工作坊正面外觀，1926年。

右：路西亞·莫歐尼，擷取自《莫歐尼-那基，頁緣筆記，文史紀錄的矛盾》(Marginalien zu Moholy-Nagy: Dokumentarische Ungereimtheiten)，1972年。

> 「對我而言，重要的是事物本身；在其中，我專注於核心，而朝向它，我才因此批判。」
>
> 路西亞·莫歐尼。

中，接著她更將這些運用到人像寫真上。購買萊卡相機後，她得以更自由地構圖，且常用潤色染料來沖洗底片以創造暗化效果。在德紹包浩斯時期，教育與設計領域被設定新的標準，而需要越來越多的照片作為公共關係用途；伊斯·格羅佩斯負責撰寫文章，而莫歐尼提供照片。這些刊物通常會蓋上她的名字，伊斯·格羅佩斯後來主張這些照片應被標註為莫歐尼的所有權，而非「公物」。隨著時間流逝，莫歐尼越來越覺得德紹這工業城市很無趣，在1928年她與丈夫離開包浩斯回到柏林。一年之後兩人離婚，而莫歐尼開了自己的「寫真、建築、廣告暨藝術攝影工作室」。她也開設攝影課程，並與模里西斯寫真代理一起合作。1929年，她參加了德意志工藝聯盟在斯圖加特舉辦的攝影寫真展，進而接任前包浩斯人烏伯赫(Umbo)位於柏林伊登的私立學校內攝影指導的工作。

　　自1929年起，莫歐尼與共產黨國會議員西奧多·紐鮑爾 (Theodor Neubauer) 有愉快的同居關係。但在1933年，紐鮑爾因反納粹的抵抗運動在他們公寓中被逮捕並被帶到集中營，莫歐尼隨即逃到布拉格。她將珍貴的玻璃底片留給莫歐尼-那基，後來他再將底片交給沃爾特及伊斯·格羅佩斯妥善保管。她試著透過巴黎的新聞界熟人幫助紐鮑爾，但依舊失敗，進而在1934年三月定居倫敦。除了攝影工作外，她也在中央藝術與工藝學校教導關於包浩斯的課程，另在倫敦繪畫暨製圖藝術學校教授攝影。1939年企鵝出版集團出版1839-1939年的百年攝影誌，儘管頗受好評，這本書在戰後未被再度發行，且僅出版德文版。1940年，她開始以微縮膠卷記錄劍橋大學圖書館館藏；在1942年，她為專門圖書館與資訊局協會 (the Association of Special Libraries and Information Bureau) 監督管理微縮膠卷專案。然而，她的處境變得越來越險峻，而貴格會 (the Quaker community) 在危難時幫助了她。於1937年在芝加哥創辦設計學校的莫歐尼-那基試著幫助她進入美國，如同她一直渴望的，邀請她去教攝影，但卻未被批准簽證。1942年，她倫敦的家在一次空襲中被摧毀。在1950年代，莫歐尼第一批未被授權的作品已經在美國出現（在戰前就已出現），她與沃爾特及伊斯·格羅佩斯因她的底片陷入激辯。1957年

> 「並不是由技術或工具來定義藝術，人才是，只要他有天賦用工具或技術來創造藝術。」
>
> 路西亞·莫歐尼。

的某天，她在倫敦家門階上發現一個從布希-雷辛格博物館（Busch-Reisinger Museum）寄來的盒子，裡面裝著底片——來自格羅佩斯欲修補關係的示好。在她原始的五百六十個玻璃底片中，有兩百三十個現保存在柏林包浩斯檔案專屬她的資產中。到了最近，她在倫敦流亡期間所拍攝的人像寫真、手做研究及都市風景第一次呈現在大眾面前，然而她為聯合國教科文組織拍的紀錄照片仍待搜索。最後，有一句很值得被引述來解釋她的藝術信念的話，這是她於1958年一次廣播訪問中講到：「並不是由技術或工具來定義藝術，人才是，只要他有天賦用工具或技術來創造藝術。」

伊斯・格羅佩斯（Ise Gropius）

在1920年代，伊斯・格羅佩斯之所以被崇拜者冠上「包浩斯太太」（Mrs. Bauhaus）這個尊稱，不僅是由於她的丈夫是這間學校的創校校長——「包浩斯先生」沃爾特・格羅佩斯，更因為她對包浩斯精神的狂熱。伊斯・格羅佩斯不但是個為其使命勇往直前，不知疲倦為何物的戰士，也是位談吐得體、言語間流露出其智慧的優雅女性；在討論包浩斯遷校時，她的談話甚至引起德紹市長弗里茨・赫斯（Fritz Hesse）的注意，他如此描述：「在會議期間，她的話極具份量，因為她的美麗與智慧相得益彰。」

從伊斯・格羅佩斯在學校出現的那刻起，由於她在包浩斯的管理與公眾關係方面可發揮她驚人的語言天賦，註定了未來她不會加入任何一間工作坊。格羅佩斯夫人在包浩斯女性成員中佔有特殊地位並非因為她的藝術資質，而是由於她對學校創校以來的貢獻。她與全德意志帝國的權貴接觸，與有影響力的包浩斯之友們（Kreis der Freunde des Bauhauses）保持聯繫，閱讀了她丈夫大部分的對外通信，並將他的手稿轉成可出版的形式。透過她的公關工作、高明的溝通技巧和建立持久人脈的才華，她幫助包浩斯獲得了認可和聲望，確保了其在德紹的延續。然而她的悲劇在於，她生命中最大的兩個願望並未實現。

她過世前為中風所苦，臨終前唯一渴望再見上最後一面的人是赫爾伯特・拜爾（Herbert Bayer），包浩斯在德紹時期的年輕師傅，廣告部門的負責人，對許多人來說更是學校中最有魅力的人。在1930年代早期，兩人談了數年轟轟烈烈的婚外情，直到格羅佩斯夫人決定挽回與年長十四歲丈夫之間的婚姻。這段戲劇化的三角戀情真正起源於拜爾和沃爾特・格羅佩斯之間的特殊情誼，格羅佩斯在拜爾的父親早逝後成為了他心目中的父親形象。伊斯・格羅佩斯發現自己化身成了關妮薇的角色，她不但是亞瑟王的妻子，同時也是蘭斯洛特的戀人，而蘭斯洛特最後把戀人讓給自己的主人。她在死前寫給拜爾的最後一封信，仍然表達了多年來的溫柔，與對失去這份偉大愛情的心碎。

生：伊斯・法蘭克，1897年三月一日，威斯巴登（Wiesbaden），德國。

卒：1983年六月九日，列克星敦（Lexington），麻州，美國。

加入包浩斯：1923年。

居住地：德國、英國、美國。

右上：伊斯・格羅佩斯，攝於1935年。

右下：1928年沃爾特・格羅佩斯攝於哥倫布號的甲板上，當時正前往紐約，伊斯・格羅佩斯所攝。

關妮薇這個角色直到最後仍未生育，格羅佩斯夫人也是如此。根據沃爾特·格羅佩斯傳記作者雷基那德·伊薩克（Reginald Isaacs）的說法，1925年八月由於在療養院進行闌尾切除術時出現的醫療疏失，導致她在懷孕初期流產並無法再行生育。但在1924年初，她自己的說法則是「在威瑪醫院的錯誤治療下，我失去了……我那才兩個月大的寶寶。」隨後，她在洛什維茨（Loschwitz）的一家療養院休養了兩個月。不過也有傳言指出，早在1923年秋天，當他們夫婦倆在威尼斯「祕密」渡蜜月時，格羅佩斯夫人就有了墮胎後的併發症。她從未證實這個傳言，直至今日都不能確定這個孩子的父親是否是她的第一位未婚夫——她的表哥。預計要在七月中舉行婚禮的前一天，她離開其表哥並投入沃爾特·格羅佩斯的懷抱；不過孩子的父親也或許是她的丈夫，因為早在七月初，他們就已在科隆的旅館同住一間房。無論真相為何都無所謂了，1936年這對夫婦在英國流亡期間收養了他們九歲的外甥女畢阿特（Beate，也就是阿媞，Ati），她是伊斯·格羅佩斯的妹妹赫塔（Hertha）於那年一月過世後留下的女兒。

回憶起自己的繼母伊斯，阿媞·格羅佩斯表示，當時在倫敦「格羅佩斯夫人是不可或缺的，她的丈夫少了她就幾乎毫無用處。她會說英語，她能在倫敦社會上熠熠生輝……（甚至是）上法院為自己慷慨陳詞。」

之後沃爾特·格羅佩斯於1937年前往哈佛大學任教，並舉家移民美國。生活日常的自由、進步的技術與城市和自然景觀讓伊斯·格羅佩斯迅速地融入美國人的生活方式。雖然在1940年代後期她遭遇了一場近乎致命的車禍，因而嚴重限制了她的行走能力，但這並沒有阻止她陪伴丈夫出國旅行。然而真正屬於她的王國，是她的私人「城堡」，那是一棟位於麻省林肯市，和她丈夫過去設計的德紹師傅之家（Dessau Masters' Houses）有著相似風格的兩層樓平房；這間曾被她笑稱是「格羅佩斯之鎖」（Schloss Gropius）的友善住處是剛流亡到美國的包浩斯份子們暫時落腳的好地方。客人們不知道的是，房子的地下室裡藏了路西亞·莫歐尼的原始底片，但卻是沃爾特·格羅佩斯在

未經她同意便私自取走的底片。他從她身邊拿走並藏了幾十年，以便用國際規模美化自己的包浩斯傳奇。

　　然而有些移民國外的包浩斯份子，像是艾琳‧拜爾(Irene Bayer)對伊斯‧格羅佩斯的這些美好看法則不以為然。1938年，在她與已移民到美國的丈夫團聚前，艾琳曾異常激動地寫信給她的丈夫，信中寫道：「如果我面對的是一個像格羅佩斯夫人一樣的生物，而且必須再次忍受這種謾罵和羞辱，我會毫不猶豫殺死自己和我的孩子。」這些文字應該是出自一位深受情敵傷害的妻子，很可能是因為1926年三月她與赫爾伯特‧拜爾結婚不久後，便收到一封伊斯寫的短信。艾琳‧拜爾表示：「格羅佩斯夫人寫信給我，是為了什麼？一個既狡猾又愛撒謊的女人，做什麼都有自己的目的。她想要的東西，不是在你手上就是在我手上。」

　　然而，格羅佩斯夫人最重要的遺產是她留下的「日記」，記錄了1924年九月至1928年三月間這對夫婦在德紹渡過的最後幾年歲月。「日記」一詞具有誤導性，因為，正如她自己承認的那樣，它並非如一般日記是由個人的私密記錄組成。相反地，裡面詳細描述並摻合著包浩斯和沃爾特‧格羅佩斯的活動；更準確地說應該是「包浩斯編年史」，儘管這份日記仍未發表但卻是該機構史上獨一無二的寶貴資源。在漫長的工作日之後，偶爾會只有簡短的筆記，但經常會有更多關於機構生存的對話討論記錄，伊斯‧格羅佩斯的筆記提供了他們在威瑪和德紹時期結束時的許多細節。這本「日記」補足並有

「（她曾是）**我父親的重要工作夥伴，是他的國際秘書、編輯、翻譯、女主人和公關。**」

阿媞‧格羅佩斯。

時修正了現存於圖林根州檔案館的威瑪時期半官方檔案。到了1928年四月，伊斯和沃爾特‧格羅佩斯不再是包浩斯的正式成員，這對夫婦便搬回到了柏林，之後她便不再寫日記：「我再也沒有養成寫日記的習慣，因為我覺得我們已經回到了私人世界，不再需要每天事事紀錄。」

即使那時的格羅佩斯夫人還很年輕，伊斯‧法蘭克（Ilse Frank，夫人婚前的姓名），對包浩斯的理念充滿了熱情；1923年五月二十八日，她與妹妹一起前往漢諾威的下薩克森州立博物館（Lower Saxony State Museum）聽了它的創辦人沃爾特‧格羅佩斯的演講。身為四個兄弟姐妹中老大的法蘭克原先在慕尼黑的一家報社工作，那時她搬到了漢諾威近郊的瓦爾德豪森，正好緊鄰藝術家柯特‧希維特斯（Kurt Schwitters），她和兄弟姐妹們經常去他自家公寓打造的空間作品：梅茲堡（Merzbau）參觀。當時她正在當地的一家書店工作，並準備嫁給十八個月前便已訂下婚約的表兄赫爾曼（Hermann）。她從格羅佩斯的演講中愛上了包浩斯，而這位著名的建築師則對這位美麗的聽眾一見鍾情。伊斯‧格羅佩斯在回憶那些「第一次邂逅」時，特別強調了他們早年的心意相投，這無疑使她不僅對這個男人著迷，更是對其那讓世界更美好的使命和信念、以及對威瑪時期包浩斯的樂觀看法癡狂。她用她那寸不離身的攜帶式打字機，把他的想法變成了自己的，正如他們的女兒目睹的那樣，「（她曾是）我父親的重要工作夥伴，是他的國際秘書、編輯、翻譯、女主人和公關。」

艾琳 · 拜爾 (Irene Bayer)

　　包浩斯最具代表性的影像製作者之一就是艾琳 · 拜爾(Irene Bayer)，儘管她自己也是包浩斯人，卻是幾乎被遺忘的美國攝影師及設計師，結婚前姓氏為黑克特(Hecht)。在她進入包浩斯之前，已經是一名受過訓練的藝術家，而包浩斯在剛開始時——跟很多女性一樣——拒絕她申請入學。學校的領導人擔心太多的女性學員可能會讓包浩斯被認為是教學專業不嚴肅，因此拒絕女性申請的比例遠遠高出男性很多。雖然艾琳 · 拜爾從未加入包浩斯的行列，但她在赫爾伯特 · 拜爾(Herbert Bayer)——學校的高材生之一，也是她的丈夫——作品中發揮了相當大的影響力。在德紹包浩斯，他獲得年輕師傅的地位——學生經由評比擢升為老師或教授——後來成為柏林廣告界快速竄起的明星。她自己則奉獻在這段最終成為悲劇的關係中，艾琳 · 拜爾將自身的藝術才能投入於丈夫的作品及事業中，而非自己的。她的命運就像很多包浩斯女性的典型遭遇，她的傳記揭露出深刻的洞察，這些革新女性在面臨到個人及專業挑戰男性同儕名聲時，往往遭受到事業挫敗與否定。然而，檢視她的作品卻可以看到她創新的現代視野之力量。

　　艾琳 · 安琪拉 · 黑克特(Irene Angela Hecht)於1898年十月二十八日在芝加哥出生，在一個世界主義的猶太家庭中成長。就在出生不久後，她的父親搬到匈牙利工作，而她在那邊度過童年。高中畢業後，艾琳到夏洛特堡(Charlottenburg)的柏林藝術學院就讀。有錯誤的傳聞宣稱艾琳 · 拜爾在1923年秋天參觀了在威瑪舉辦聞名的國立包浩斯展。然而，根據紀錄顯示她跟這學校在那年的春天已有第一次接觸，當時她申請1923-1924年冬季班的包浩斯基礎預備教育。保存在威瑪市政府的紀錄顯示，她的申請資料是一份悲劇性的文件。文件上錯誤地將她列為羅馬尼亞公民，呈現於包浩斯的教師會議中，幾乎一致性地拒絕她的申請。唯有約瑟夫 · 哈特維格(Josef Hartwig)——雕刻品工作坊的工藝教授——提出試讀的想法。保羅 · 克利及沃爾特 · 格羅佩斯則強烈反對；後者如此寫下對黑克特小姐的看法：「她是沒有說服力的，想要製作陶瓷，但卻不是我們的選擇。」就像是教師會欲減少女性學生這個隱藏議程的犧牲者，這個決議讓黑克特無法以正規學生進入包浩斯。

生：艾琳 · 安琪拉 · 黑克特，1898年十月二十八日，芝加哥，伊利諾州，美國。

卒：1991年，聖塔莫尼卡，加州，美國。

與包浩斯合作：1924年。

居住地：德國、法國、瑞士、捷克共和國、美國。

右：艾琳 · 拜爾，約1920年。

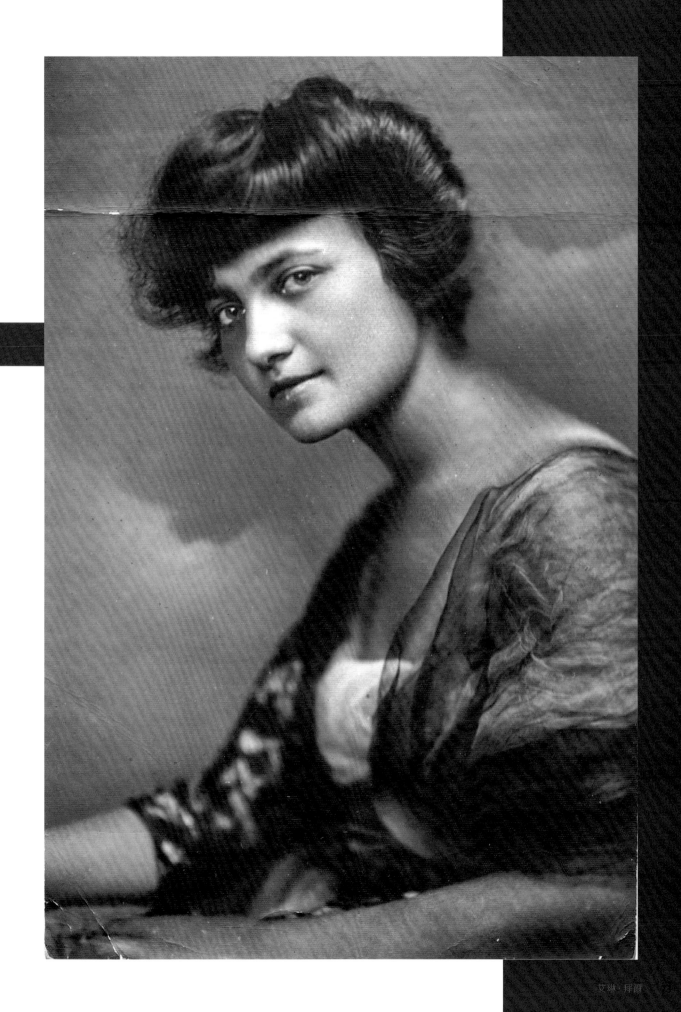

黑克特第一次遇見赫爾伯特‧拜爾是在1923年六月，當時她去拜訪匈牙利籍朋友，同時也是赫爾伯特的同學法卡斯‧費倫茨‧莫爾納 (Farkas Ferenc Molnár)。赫爾伯特不久就前往義大利一年，但從黑克特寫給他的熱情信件中看的出來，他們夏天的相遇雖然短暫，卻很激情；1923年十月她寫道：「我所愛的你－你……死亡／愛情／殺戮／憎恨／愛情／愛情／艾琳。」一首詭異地預測他們將來困難重重關係的詩句。1924年初黑克特搬到巴黎尋找平版印書的工作。她很快地就讓自己沉浸在高知識及前衛的都市生活中，而且選修索邦大學與法國美術學院的課，認識了如費爾南‧雷捷與巴勃羅‧畢卡索等藝術家。然而當時她從事傳統女性工作謀生，在一家巴黎時尚公司縫製帽子，一個月賺取六百法郎的微薄薪水。同年十二月她帶著對赫爾伯特的愛回到威瑪，他們在1925年十一月十一日結婚，當時由艾琳的哥哥邦迪與拜爾的朋友桑迪‧沙文斯基 (Xanti Schawinsky) 證婚。丹佛美術館收藏拜爾遺物中有一封艾琳寫的信，當中揭露兩人決定結婚是因為艾琳懷孕；他們唯一摯愛的女兒茱莉亞 (Julia)——小名為「穆齊」(Muci)——在1929年六月出生前，她曾懷孕過兩次。在當時，兩人因沉重壓力已經是感情失和的狀態。帥氣的赫爾伯特在外惡名昭彰地吸引其他女人，而艾琳則健康狀況不佳，仍對包浩斯及赫爾伯特的許多包浩斯友人心存敵意。她的信件可成為這些敵意的證據，她將拉士羅‧莫歐尼-那基視為赫爾伯特最大的敵人，其中也表達出對格羅佩斯、他的妻子伊斯‧格羅佩斯 (Ise Gropius) 及學校核心人物的厭惡。雖然艾琳‧拜爾經過那些年在學校以及丈夫作品貢獻——代表學校的影像等作品——可稱得上是包浩斯人，但如此稱呼卻是違背她自己的意願。

但她仍然崇拜她的丈夫及他的作品，於是盡全力地支持丈夫成為平面藝術設計師的抱負。在1926到1927學年間，她到萊比錫附近的美術學院的照相工藝工作坊上夜間課程，如同路西亞‧莫歐尼在之前一年所做的，因為包浩斯本身沒有提供正規的攝影訓練課程。雖然萊比錫的課程只是對於基本攝影技術做濃縮的介紹，對她的影響卻是很有價值的，艾琳‧拜爾在獲得必要的訓練之後，就能為丈夫提供客製化的照片。赫爾伯特這種「客製化」的基調可從1926年他知名的包浩斯簡冊中看見，佩勒豪斯大樓陽台的景觀戲劇性地從下方拍攝的手法，還有一張夾在她寄給她丈夫信中，可能來自同一系列且從未被公開過，從內部拍攝包浩斯的走廊及窗戶，呈現出高度結構化的照片。這些照片顯現出她的前衛派作品以所謂的「新視野」風格呈現，將攝影視為一種手段創造出現代世界的極度真實感與機械式的視野，而非模仿繪畫或其他舊形式的表達方法。另一張1926年的照片——一張梳著瀟灑油頭的丈夫坐在桌前準備德紹市簡介的照片——她創造出一種前所未有的專業敘述方式：「藝術指導」正在挑選及拼湊題材以整合成一體的展現。赫爾伯特‧拜爾還將這張照片用作他正式的工作照。

右：1926年包浩斯簡冊封面，赫爾伯特‧拜爾設計，艾琳‧拜爾攝影。

最右：艾琳‧拜爾，包浩斯建築內部，約1927年。

下：赫爾伯特‧拜爾正在設計德紹包浩斯的照片，1926年。艾琳‧拜爾攝影。

「她是沒有說服力的，想要製作陶瓷，但卻不是我們的選擇。」
沃爾特‧格羅佩斯。

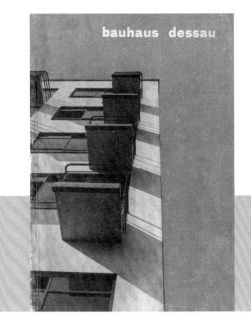

當時的文件記載指出艾琳‧拜爾的藝術野心不僅止於攝影。一封1926年九月寫給赫爾伯特的信中，夾帶著一張菸灰缸橫切面的草圖，未來可在包浩斯工作坊生產。她的一比一大小的草圖跟瑪麗安‧白蘭帝（Marianne Brandt）與其他包浩斯金屬工作坊的圓形底座類似，但是她的尺寸大很多，且被設計成單獨直立及可收集較多量的煙灰──適合在公共建築物中使用。信中，拜爾建議丈夫只與包浩斯的公司法律顧問哈斯（Haas）博士分享此草圖，當時哈斯博士負責商業範疇。她堅持：「在任何情況下都不要給金屬工作坊的任何人看。」再次強調她對於包浩斯強烈的不信任感。在她的作品集中這草圖是唯一的設計，卻顯現她對產品設計也有興趣，在藝術表達領域及脫離丈夫獨立自己的事業有潛力；相較之下，她的丈夫在物品設計的任何形式上都沒有成功。

辨識度極低的她，到最後卻被認為是前衛派攝影「新視野」的主要人物及領導者。最重要地，她貢獻了五張照片給1929年春季傳奇電影與照片展（簡稱為FiFo），由德國工藝聯盟（German Werkbund）策畫，在斯圖加特展出。其中兩張是拜爾的肖像照片，顯示她與包浩斯關係密切，而其他的照片，包含包浩斯學生恩朵‧維寧格（Andor Weininger）穿著小丑裝戲劇性地從下方起身的照片，再再說明了她成功地發展出個人風格闡述現代攝影的語言；新德紹包浩斯大樓的壯麗景觀則充滿了包浩斯人；由下往上拍攝的短髮女學生穿著時尚的窄型泳衣及珠寶，丟出海灘球的那一瞬間彷彿靜止了，這樣強而有力的快照捕捉了那一刻的熱情洋溢。其他的主題源自於1928年拜爾一家人、桑迪及馬歇爾‧布魯耶一起在蔚藍海岸度過的暑假，當時他們全都與導師格羅佩斯一同從包浩斯辭職，格羅佩斯在1928年春天決定離開德紹充滿敵意的氛圍。

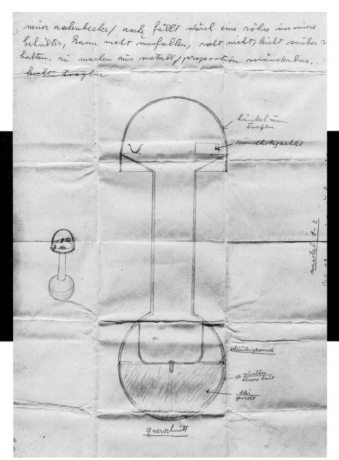

拜爾一家人搬到柏林，對她而言是很快樂的，因為她可以遠離包浩斯但仍是格羅佩斯圈的一份子，圈子裡的成員都前往生氣蓬勃的首都去開設新的工作室及辦公室。隨著他們女兒在1929年出生，艾琳·拜爾全部的藝術雄心都結束了。赫爾伯特當時擔任有名的多蘭廣告公司（Dorland advertising agency）柏林分部的創意部門總監，且不再依賴她的照片，這個事實加深了永遠失去他的心的感覺。另外一件事給她更重的打擊，自1930年開始他與伊斯·格羅佩斯就已開始外遇，一個他視為父親將近十年時間的導師之妻。在這樣的混亂中，他的妻子先試著在瑞士阿斯柯納渡假勝地獨立謀生，後來又到捷克斯洛伐克為spa客人提供美容服務。但是身為單親媽媽的她自1933年六月之後就無法使收支平衡。雖然他在很多方面都不是理想丈夫，赫爾伯特卻在財務方面支持他的妻子與小孩，甚至支付艾琳·拜爾住的公寓租金。為了給茱莉亞一點家庭生活，父親仍會在晚上前來家庭聚餐。

左：艾琳·拜爾，直立式菸灰缸設計，1926年。

上：艾琳·拜爾，恩朵·寧格裝扮小丑的照片，約1926-1928年。

右：艾琳·拜爾，女學生丟出海灘球，約1925年。

「這麼長的生命我只全心愛過兩個人，赫爾伯特和茱莉亞。」

艾琳·拜爾。

雖然拜爾一家人已確實分開住，裂縫仍然存在，而諷刺的是，到了1930年代晚期，艾琳·拜爾再次成為幫助丈夫事業的關鍵因素。拜爾，一個極度厭惡政治的奧地利公民，長久以來都希望納粹政權在德國只是一個過渡期。直到1938年他終於決定移民美國，再次跟隨他的包浩斯同事的腳步。格羅佩斯已經為他在紐約現代藝術博物館安排一個職位，以策劃包浩斯1919至1928年的展覽，而莫歐尼-那基提供他在芝加哥新包浩斯的教職。然而是他美國出生的妻子的父親簽署了移民美國所需的宣誓書。此外，是艾琳·拜爾留在德國，結束赫爾伯特在多蘭的事業並為他確保字型設計之版權收入，主導繁複的事業協商及處理納粹官方的繁文縟節，她保住了赫爾伯特的藝術作品、檔案及文件，免於受到納粹政權的摧毀，把所有的物品穿越大西洋安全地在1938年底海運到紐約。她做這些事冒了極大的風險；艾琳和女兒穆齊是最後一批安全離開納粹德國的猶太人。

生活面及歷史對艾琳·拜爾都不公平，最持久的資產就是成為她廣為人知的丈夫背後沉默的合作者。的確，是她保全丈夫在包浩斯的作品免於受到摧毀，似乎她奉獻在自己的作品上遠不如投入在丈夫作品中的，而她倖存的作品集是不完整的。但留下來的作品仍是內容充實，被保存在洛杉磯的蓋提研究機構，留在她所出生的國家。在與穆齊回到美國之後，他們待在紐約，頭幾個星期住在穆齊的教父桑迪·沙文斯基的公寓，後來就住在皇后區自己的公寓。終於在1944年八月與赫爾伯特離婚，艾琳當時已經從公開生活消失許久，只知道她回到德國待了兩年為美國軍事管理部門工作。只有女兒穆齊在1963年十月六日的突然去世，短暫悲傷地讓兩人團聚——這件事讓她與赫爾伯特徹底崩潰，還讓赫爾伯特抑鬱很長一段時間。有最後幾封保存下來的信，一封1975年所寫的信寫到：「我親愛的赫爾伯特，只是想獻給你一點愛，如果我離你近一點就可以幫助你的工作。」在她1991年過世前不久，她寫了一封信給拜爾的哥哥特奧，對自己的生命下結論：「這麼長的生命我只全心愛過兩個人，赫爾伯特和茱莉亞。」

莉・拜耶－福爾格 (Lis Beyer-Volger)

安克・貝魯姆 (Anke Blümm) 撰寫

時尚與包浩斯？一般通常會把包浩斯與其織物工作坊中色彩繽紛的地毯與抽象布料做聯想。事實上，這間學校的編織工作坊更著重於為室內裝潢設計創新的布料產品，而不是在服飾上。儘管如此，有兩件包浩斯製造的女性服飾倖存，包含其中一件是編織家莉・拜耶1928年的作品。它精緻淡藍色與白色線條的樣式及合身剪裁與最新時尚完美契合——而且使用的是包浩斯製布料。

眾所皆知的「莉」・拜耶來自漢堡的一個中產階級商人家庭。高中畢業之後，在十七歲的年紀就申請威瑪包浩斯，1924年夏季順利完成約翰・伊登、保羅・克利及康定斯基開設的基礎預備教育課程。在包浩斯於1925年第一次關閉時，她跟著學校去到德紹，向崗塔・斯托爾策爾學習編織。1927年，拜耶通過技能考試，接著跟之前幾個包浩斯編織家一樣，到克雷費爾德研修印染課程。當她自己成為編織工作坊員工時，分享了這些技術。同時她也為商業設計布料樣品。

因為她的短髮及男孩模樣，拜耶完全就是個「新女性」，且常當同學的模特兒。她也參與劇場布景及派對，在當中常穿著有創意的服裝；在同學所保存的相簿中無數的照片都有她的身影，足以證明她受歡迎的程度。包浩斯開始頒發學位之前，拜耶已經通過1929年春季德紹商會主辦的編織工藝師傅考試 (Webmeisterprüfung) ——唯一一位這麼做的包浩斯女性。同年她找到第一份工作，烏茲堡中央工藝學院手作編織學徒工作坊的主任。兩年後，她與包浩斯同學漢斯・福爾格 (Hans Volger) 結婚，漢斯早先就與她一同搬到烏茲堡從事獨立建築師的職業。兩人第一個小孩於1933年出生，第二個則在1940年出生。

烏茲堡當地的報紙將她的作品評論為具有獨一無二、專注於極度簡樸的個人風格。福爾格在設計方面取得成就，甚至於1935年跟沃爾特・格羅佩斯報告說，她的委託人數量每年都在增加，訂單遍及烏茲堡及日本、荷蘭和法國等國外公司。以現在的觀點來看，這個前途看好的事業短短幾年內就結束，真的相當可惜。福爾格在1938年跟丈夫

生：伊莉莎白・葳荷米妮・凱洛琳・拜耶，1906年八月二十七日，漢堡，德國。

卒：1973年八月二十八日，菲爾森市，德國。

加入包浩斯：1924年。

居住地：德國。

右上：莉‧拜耶-福爾格，包浩斯洋裝，1928年，棉、嫘縈，長度一百零一公分。

左上：莉‧拜耶-福爾格，在工作室的製圖桌旁，德紹包浩斯，約1928年。

上：莉‧拜耶-福爾格，毛毯，1934-1935年，厚羊毛及精細纖維。

到克雷費爾德，因為他被聘任在城市規劃部門工作。從此之後，她就專注於家庭且只接受私人委託。為了符合國家社會主義下的典型關係，她承擔起所有的家庭責任，如此一來她的丈夫就能無拘束地工作。

1951年，漢斯設計一家四口的家，有一個獨立的工作室，莉可以在工作室繼續製作她的繡帷掛飾。這個工作室也曾是各式各樣派對的場所，福爾格一家人仍繼續與包浩斯友人聯絡，其中有些人（例如卡多一家人[the Kadows]）在克雷費爾德紡織工程學校教書。

漢斯於1937年加入納粹黨，因此在1945年他的公職身分被解雇。他曾要求沃爾特‧格羅佩斯為他寫推薦信，莉也為他加入納粹黨做辯護，但他們的努力徒勞無功，格羅佩斯拒絕提供他所要求的推薦函。儘管如此，福爾格於1948年在城市規劃部門復職，持續工作到1963年。夫妻倆在退休後搬到spa小鎮巴特克羅欽根，福爾格於1973年七月在當地過世，僅在一個月後他的妻子相繼過世。

瑪麗安・白蘭帝（ Marianne Brandt ）

包浩斯拍賣品有紀錄以來的最高價，是一個小型的銀與烏木材質的茶葉提取壺，是在1924年由金屬工作坊的新學徒瑪麗安・白蘭帝所製。這個茶壺在2007年以三十六萬一千元賣出，是她在工作坊製作的少數小型茶壺之一，編號MT49，專為熱水沖淡濃泡茶而設計。MT49蘊含濃厚的包浩斯精神：藉由圓形、十字及方形等單純的形狀達成和諧，在日常可及的生活物件中展現出雅致的現代感。更確切地，白蘭帝在1929年包浩斯內部雜誌中寫過一篇文章，反駁包浩斯僅僅是一種風格的說法，並解釋包浩斯反而是產出最好形式的方式。回憶起對於每一項金屬工作坊所製物品的實驗，確認他們發揮最優的機能性——絕非巧合，當時她正領導金屬工作坊——她曾寫道他們的茶壺「最好不會漏水」。然而MT49卻也顯現了肉眼所看不到的包浩斯矛盾。它雖具有機械式的精準及適合大量生產的外觀，但實際上它是一個昂貴金屬奢侈品，僅能以手工辛苦地少量製作。

生：瑪麗安・利伯，1893年十月一日，肯尼茲，德國。

卒：1983年六月十八日，基西貝格，薩克森，德國。

加入包浩斯：1924年。

居住地：德國、挪威、法國。

左：瑪麗安・白蘭帝，茶葉萃取壺（MT49），1924年。路西亞・莫歐尼攝影。

上：瑪麗安·白蘭帝，未命名（雙重曝光肖像），
約1930-1932年。她當時相當女孩子氣，留著飄逸
長髮，擦口紅及帶著珠狀項鍊，穿著建構主義類
型的實驗工作服，手邊有設計工具及快門開關器。

　　儘管高價，她的設計仍是令人驚嘆的，
白蘭帝跟她的作品是包浩斯歷史的核心。不只
是因為她是唯一一位在男性主導的金屬工作坊
拿到學位的女性，她在那裡五年的時間還擔任
多個管理職。白蘭帝是富有想像力的金屬設計
師，同時也是畫家、攝影師及集錦照片設計
師。後來的作品很明顯地是兩次大戰間大眾傳
播文化與經典「新女性」象徵，經過敏銳演繹
催化下的產物。

　　名為瑪麗安·利伯（Marianne Liebe）的女
孩，在德國肯尼茲的一個中上階級家庭長大。
1911年搬到威瑪上繪畫學校，隔年註冊威瑪的
撒克遜大公爵藝術學院（Grossherzogliche-Sächsische Hochschule
für Bildende Kunst）與表現主義藝術家弗里茨·瑪肯森（Fritz
Mackensen）一同修習繪畫。她於1918年得到文憑，而在1919
年與挪威畫家艾瑞克·白蘭帝（Erik Brandt）結婚，同時改變
了她的姓並自動變更為挪威籍。夫妻倆花了兩年時間在挪威
及法國旅行和繪畫。回到威瑪學習雕像後，瑪麗安·白蘭帝
參觀1923年的國立包浩斯展，這學校盛大舉辦第一次展覽
會，將作品呈現在大眾面前。她之後這樣描述自己，「幾乎
是著了魔似地被包浩斯所吸引」。白蘭帝燒掉自己的畫作，
決定在1924年一月從包浩斯重新開始，研修喬瑟夫·阿伯斯
與拉士羅·莫歐尼-那基授課的基礎預備教育，後來拉士羅
建議她主修其所帶領的金屬工作坊。白蘭帝選擇了金屬工作
坊，但剛開始時遭受到男同學的捉弄。她覺得這些無止盡重
複及乏味的任務是所有工作坊初學者的規範，但她的同學後
來承認他們試著要嚇跑她。幸運地，布蘭帝成功地製作出代
表性的設計，像是茶壺及同性質的家用品——金屬菸灰缸、
咖啡杯組及上菜碗——這些很快地被認為是實現校長沃爾
特·格羅佩斯將學校的再定位，從表現主義轉變為口號「藝
術與科技，一個新結合」。

　　當包浩斯從威瑪搬到德紹特意設計的建築物時，金屬工作坊即負責供應建築物的照明設備。白蘭帝幾乎一手包辦所有的燈飾設計。1926年，德紹包浩斯開始的那一年，其中一張照片，展示由白蘭帝及漢斯・普賽瑞貝爾（Hans Przyrembel）所設計的鍍鎳頂燈，裝飾著編織工作坊，是為知名的型號ME 78b；機能、實用且明顯具有現代感，高度可輕易地經由加重的滑輪系統調整。

　　白蘭帝在1927年成為工作坊有給薪的雇員，成為莫歐尼-那基的左右手，負責管理工作坊。1928年四月，格羅佩斯與莫歐尼-那基都離開包浩斯前往柏林，全體包浩斯人製作了一本標題為《包浩斯的九年：年代誌》（9 Jahre Bauhaus: eine Chronik）的選輯來感謝格羅佩斯創立學校的所有努力。白蘭帝出力製作了金屬工作坊那一頁，僅僅留名"ME"，此為所有在金屬工作坊

左：德紹包浩斯編織工作坊內，型號No.
ME 78b吊燈，瑪麗安・白蘭帝與漢斯・普賽瑞貝爾設計，1926年。

右：瑪麗安・白蘭帝，me（金屬工作坊），
1928年，紙板上照片拼貼。取自給沃爾特・格羅佩斯的選輯，《包浩斯的九年：年代誌》
（*9 Jahre Bauhaus: eine Chronik*）。

製作之物品上的包浩斯縮寫。工作坊成員、他們的作品以及包浩斯建築物繞行著構圖的中心───一個大的金屬燈罩與星球。另外還有詼諧帶點克制感情的莫歐尼-那基及白蘭帝自己，斜靠在他的左下方。作品上方ME 78b燈堆疊起的陰影就像建築柱子一樣高聳，讓人想起工作坊的設計與產能。隨著莫歐尼-那基的離開，白蘭帝被聘為金屬工作坊的代理主任，這個管理職位需要與柏林的舒辛格＆格拉夫（Schwinzer & Gräff）及萊比錫的科廷＆瑪蒂森（Körting & Mathiesen）這些公司協商合約來生產工作坊的設計。隨著家家戶戶與電網連結的數量越來越多，家用電燈的新市場出現，對包浩斯設計是新的開端。檯燈及桌燈現在是很普遍的，但當時白蘭帝及她的同事第一次想像這些東西。

白蘭帝的"ME"不是她第一次嘗試剪貼的構圖，1926年當德紹包浩斯還在施工中，白蘭帝休了九個月的假與丈夫一起待在巴黎。遠離工作坊，她忙

著製作複雜的膠黏圖片，這些當時被稱為蒙太奇圖片，以強調機械般的特質，因為「蒙太奇」就是「機械師」——機械工或技師——工作的成果。白蘭帝1926年的作品《巴黎印象》（*Pariser Impressionen*）就是一個令人愉悅的集錦照片，使人聯想到知名的新女性，年輕女子可以無拘束地漫步且得以釋放「光之城」（巴黎）。藝術、電影及秀場女郎——包括著名的美國舞者約瑟芬·貝克（Josephine Baker）——排成一列，後有艾菲爾鐵塔為背景再加上移動中的女性照片。女子在公車上、車裡甚至推著嬰兒車移動。女性的腳貫穿整個

作品，成為女性性感身體及具有移動可能的雙重象徵。白蘭帝回到包浩斯之後仍繼續創作蒙太奇照片，在包浩斯期間創作了約五十件作品。白蘭帝也是個包浩斯生活的攝影紀錄者，而她的自拍照常與反射面與金屬表面結合，金屬則是她作品的主要材料。這些照片偏好運用表面紋理，且探索相機——一種機器——與影像創作之間的關係。

到了1929年，白蘭帝成功地領導金屬工作坊，成為包浩斯正式管理階層中少數女性之一。但她卻對男性同事頻繁挑戰她的權威越來越覺得挫折。她也希望回到專職設計的工作，所以她在1929年四月寫信給校長漢斯·邁耶，宣告夏天即將離開包浩斯的計畫。她帶著包浩斯金屬工作坊唯一一張頒給女性的正式文憑離開。

白蘭帝在格羅佩斯的柏林建築事務所工作六個月的時間。1930年，她的作品在莫歐尼-那基策展的巴黎工藝聯盟展覽中展出。同年她成為家用品設計部主任，為位在哥達的路佩爾沃克（Ruppelwerk）金屬器皿工廠效力。白蘭帝改造了這間公司老派且庸俗的產品，進一步實現包浩斯秉持的簡單、優雅且能大量生產的實用性物品的夢想。白蘭帝在一封寫給格羅佩斯的信中承認，儘管她帶來了設計衝擊，仍被禁錮在老闆的過時品味中而感到挫折。

跟很多包浩斯人一樣，納粹政府的崛起，強力地將白蘭帝極富創造力的生活中止。1935年她與丈夫離婚，從納粹年代、第二次世界大戰中存活下來，在後續的德意志民主共和國，她生活在家鄉肯尼茲，後來的卡爾馬克斯城（Karl-Marx-Stadt），與社會相當脫節。在1940年代晚期及1950早期，她在德勒斯登的藝術暨工藝學院及柏林-白湖（Berlin-Weissensee）應用美術學院教書，之後她到中國策畫德國GDR應用美術展（German Applied Arts of the GDR）。在她生命晚期，對包浩斯重要性的認可在東德嶄露頭角，而白蘭帝的作品開始被展出及討論。時至今日，白蘭帝的一些金屬設計再次被大量生產，且她的作品被世界各地的博物館視為瑰寶。

修斯・歐羅 (Ruth Hollós)

生：1904年八月三日，利薩，德國
（現為萊什諾 [Leszno]，波蘭）。

卒：1993年四月二十五日，科隆，
德國。

加入包浩斯：1924年。

居住地：波蘭、德國。

出生在普魯士及波蘭的邊陲地帶，修斯・歐羅 (Ruth Hollós) 深信她注定以有創造力的設計師為職業。1921年，才十七歲的她已開始在不來梅應用藝術學校就讀，當時才剛與母親搬到那裡。三年後在威海姆・華根菲爾德 (Wilhelm Wagenfeld) 的建議下，申請威瑪包浩斯而入學1924–1925年冬季班。歐羅抵達學校不久後即發覺她必須跟著搬到德紹的新址。在修完喬治・莫奇和喬瑟夫・阿伯斯的基礎預備教育後，她在編織方面向崗塔・斯托爾策爾學習並全面訓練，成為少數能完成多樣技術學位的包浩斯畢業生之一。1927年七月，她通過格勞豪 (Glauchau) 商會所主持的技能考試；1928年三月，包浩斯頒給她整體專業證書，作為她成功完成學業的證明；而在1930年六月，在她離開一段時間後，收到了包浩斯第十二號學位證書。這些文件強調她在藝術領域的才能；舉例來說，其中一份寫道：「歐羅小姐具有從事創作工作的才能。她的充沛精力、自律、勤勉及耐性成就了這些藝術素質。她對材料帶

上：修斯·歐羅，哥柏林雙面掛毯，約1926年。

左：馬歇爾·布魯耶及他的「女眷」。從左到右依序為：瑪莎·厄普斯、凱特·伯斯與修斯·歐羅。艾瑞克·康賽穆勒攝影，1927年。

「歐羅小姐具有從事創作工作的才能。她的充沛精力、自律、勤勉及耐性成就了這些藝術素質。」
包浩斯第十二號學位證書內文。

有高度發展的敏銳感，且熟知如何結合不同的材料。她在設計及製作方面的成就可用傑出來形容。」

這位年輕紡織設計師獲得肯定的聲望，一點也不讓人覺得奇怪。在1926年包浩斯雜誌的首刊中，放了修斯·歐羅設計製作的繡帷廣告。同年她參與德紹劇院咖啡館的室內設計。她也幫著名的劇場導演厄文·皮斯卡托（Erwin Piscator）設計配置柏林公寓的家具，在當時是聲望很高的委託案。這聲望可從前衛派攝影師沙夏·史東（Sasha Stone）知名照片《皮斯卡托寓》（Heim Piscators）可見一斑，還出現於1928年四月頂尖的德國生活畫刊《女士》（Die Dame）內。

同一個月，這位高素質的包浩斯畢業生搬到普魯士東部的偏遠城市柯尼斯堡，成為居家工作者聯盟的手工編織工作室（Verein für volkstümliche Heimarbeit Ostpreußen e.V.）的創意暨技術指導。1929年十二月她回到校友艾瑞克·康賽穆勒（Erich Consemüller）的居住地——德紹；兩人交往很長一段時間，而且被包浩斯人公認是「模範情侶」。1927年康賽穆勒曾為馬歇爾·布魯耶及他的「女眷們」瑪莎·厄普斯（Martha Erps）、凱特·伯斯（Katt Both）、還有帶著亂髮的狂野現代女性歐羅，拍下風趣的回憶照。艾瑞克及修斯於1930年結婚，之後時任包浩斯建築系副主任的艾瑞克，被傑比成史坦城堡藝術和設計學院邀請任職，修斯就與丈夫一起搬家了。

1929到1932年間，她為歷史悠久的赫福德地毯工廠（Herforder Teppichfabrik）設計地毯及轉盤，工廠相當重視高品質羊毛，也不斷購入知名藝術家的設計。僅存的式樣卡中列出歐羅的八項作品，皆以黑白照片記錄下來。她的直線設計運用了包浩斯作品中可見的風格元素。設計中顯見不同寬度的線條延伸為正方形或三角形；也喚起包浩斯的設計元素，使用對比的明暗色調及背景中顏色合併的手法。

在1933年女兒碧姬及1938年兒子史蒂芬相繼出生後，修斯將重心回歸家庭且放棄了她的藝術事業。而在1933年艾瑞克被傑比成史坦解雇後，就在萊比錫及哈勒幾家建築事務所工作謀生，直到1938年因為妻子的猶太籍，他被德意志藝術協會（the Reichs Chamber of Fine Arts）除名並禁止以此為職業。戰後不久，他就被聘為哈勒市的城市設計師及規劃師。在丈夫於1957年過世後一年，歐羅-康賽穆勒逃到西德，之後移居科隆，在那裡再次將重心轉移到掛毯紡織上。

凱特・伯斯（Katt Both）

身兼建築師、設計師及攝影師的凱特・伯斯（Katt Both），被命名為安娜・伊莉莎白・馬蒂爾德・卡特娜・伯斯（Anna Elisabeth Mathilde Kattina Both），出生於德國中部風景優美的華爾德卡佩爾，長大後成為包浩斯最活躍的女性建築師及設計師之一，創造現代家用需求解決方式的無數團隊中一員。她曾在卡塞爾藝術暨工藝學校和哈勒的傑比成史坦城堡受過短暫訓練，直到1925年加入德紹包浩斯止。伯斯在包浩斯的歷史中並未占有顯著的重要性，唯有經由學者烏特・瑪斯伯格（Ute Maasberg）與雷基娜・普林茲（Regina Prinz）的新調查才發現她非凡且豐富的作品。

當她仍在研修拉士羅・莫歐尼-那基與喬瑟夫・阿伯斯的基礎預備教育期間，伯斯已經開始為前學生馬歇爾・布魯耶所領導的傢俱工作坊做設計，馬歇爾只比伯斯多三年資歷。伯斯很快地完成她的學徒歷練而成為技工。在1927年，伯斯與布魯耶合作設計並生產一組實用而大膽，三段式組合的孩童專用衣櫥。布魯耶聘伯斯為他辦公室的製圖員，與她的學習同時進行。1931年，布魯耶曾這麼形容她：「具有極度稱職、富有想像力及勤奮的特性。」

伯斯向包浩斯最重要的三位建築師學習，分別是沃爾特・格羅佩斯、漢斯・邁耶及馬特・斯特蒙（Mart Stam）。在1936年一封推薦函中，格羅佩斯寫下他的極高評價：「在（伯斯的）學習過程中，獨特的藝術才能讓她脫穎而出，特別是在建築範疇，她的訓練是非常與眾不同的。因為這樣的藝術性情，再加上智慧、精力及能力，我認為她能出色且獨立執行艱困的建築任務。」凱特・伯斯於1928年離開包浩斯，前往柏林將她所學的知識付諸實行，受雇於時尚先進的魯克哈特&安克（Luckhardt & Anker）建築事務所。在那裡的第一年，即成為小型公寓內部裝潢的首席設計師，旨在解決威瑪共和時期的住房危機。「最小型的公寓」（Kleinstwohnung）備有一家四口所需的一切，包括儲藏室、陽台及浴缸——容納在盡可能最小的空間內：四十五又二分之一平方公尺（490平方呎）。

生：安娜・伊莉莎白・馬蒂爾德・卡特娜・伯斯，1905年，華爾德卡佩爾，德國。

卒：1985年，卡瑟爾，德國。

加入包浩斯：1925年。

居住地：德國、義大利。

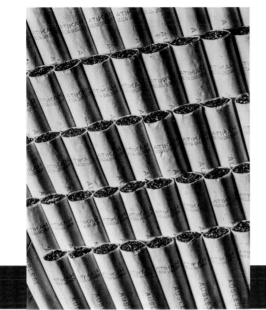

上：凱特·伯斯，未命名，阿緹卡菸草廣告，約1930-1931年。

右：布萊拉爵地產開發（Blumläger Field Development），奧圖·海斯勒建築師事務所，策勒，與凱特·伯斯合作，約1930年代早期。

下：凱特·伯斯（可能是自拍像），1932年。

在莫歐尼-那基的鼓勵下，她也開始在傑比成史坦城堡學習攝影，強化她在包浩斯與之後的學習。擁有構圖與設計的精準眼光，伯斯能創作出阿緹卡菸草（Atikah Cigarettes）的廣告草稿，廣告中極小而大量生產的現代休閒象徵呈現出新的規模，衍生支配世界的影響。

凱特·伯斯的餘生扮演著建築師及設計師的角色，最終又成為管理者。從1929到1934年，她替位於策勒的奧圖·海斯勒（Otto Haesler）建築師事務所工作，執行過無數的共同項目。1936年時，她試著在羅馬找一份固定工作，但在整個國家社會主義政府執政時期，仍只能在德國繼續執行不同的項目。第二次世界大戰期間，在建築師恩斯特·諾伊費特（Ernst Neufert）的柏林辦公室時，她專注在現代化家具設計，及提供轟炸受害者的臨時照護所。戰後她回到卡塞爾替市政府工作，其中十六年待在工程監督辦公室。在她生命晚期，她有點害羞地總結她的包浩斯時期：「我們沒有學到什麼；我們只是強化我們的性格。」

莉娜·邁耶－伯格納（Lena Meyer-Bergner）

1931年，編織名家，也是包浩斯畢業生莉娜·伯格納（Lena Bergner）辭去位於柯尼斯堡的東普魯士手工編織廠（Ostpreußischen Handweberei）主任這麼棒的工作，前往莫斯科加入紅色包浩斯旅（Red Bauhaus Brigade）。同年莉娜·伯格納與包浩斯前校長漢斯·邁耶結婚，率領親蘇聯的包浩斯人團隊。理想主義促使他們急切地將所知的設計師與建築師技能造福於蘇聯。在她丈夫有生之年，莉娜·邁耶-伯格納與他共進退，呼應他的熱忱，這對夫妻成為國際間支持共產世代的一份子，相信藝術扮演一個核心的角色，再造世界成為更好更平等的地方。

跟很多包浩斯人一樣，在年輕時莉娜·伯格納是漂鳥運動（Wandervogel）的一個成員，此運動慢慢地灌輸成員對改變的承諾及對戶外的熱愛。一加入德紹包浩斯，伯格納很快地完成喬瑟夫·阿伯斯的基礎預備課程，接著上了康定斯基、拉士羅·莫歐尼-那基、奧斯卡·史勒姆及喬斯特·舒密特（Joost Schmidt）的包浩斯典型課程。在保羅·克利的課程中所製作的作品，體現了克利顏色相互作用的理論，在她的作業中探索互補色的相互滲透情形。她專攻編織，從多樣化及極度現代的設計中看的出來，她善於運用色彩。伯格納於1927–1928年的冬天在廣告工作坊從事多樣化學習。而且她也在包浩斯以外的實用課程中接受訓練。第一次於1928–1929年冬天在扎雷（Sorau）的染色學校學習；第二次是在1929年春天，她與格雷特·雷卡茨（Grete Reichardt）抵達柯尼斯堡與包浩斯人修斯·歐羅-康賽穆勒（Ruth Hollós-Consemüller）——居家工作者聯盟的手工編織工作室的總監——一同工作。1929年伯格納通過了技能考試，進而成為包浩斯染色部門的主管。

1930年十月，伯格納收到包浩斯學位文憑後，前往東普魯士手工編織廠，這是一個幫助貧窮佃農製作小型手工物品貼補收入的慈善機構，正如學者克莉斯汀·寶曼（Kristen Baumann）所指出的，這與伯格納在包浩斯所受的工業導向訓練完全不同。根據包浩斯與蘇聯關係專家阿斯特利德·福爾珀特（Astrid Volpert）的說法，伯格納喜歡這項工作，但卻抓

生：莉娜·伯格納，1906年，科堡，德國。

卒：1981年，巴特索登，德國。

加入包浩斯：1926年。

居住地：德國、蘇聯、瑞士、美國、墨西哥。

右上：莉娜·邁耶-伯格納和漢斯·邁耶於墨西哥，1947年。

右：莉娜·邁耶-伯格納，地毯設計，約1928年，水彩與鉛筆畫於水彩紙板上。

住了前往莫斯科的機會,這是她在包浩斯學習時就想做的事。最初與俄國人競爭之後,邁耶-伯格納成為一間有六百名員工的傢飾布料工廠首席設計師,而且是唯一的。在她的自傳註釋中,邁耶-伯格納回憶起在蘇聯第一個五年計畫之中,所有的媒體,如何有效地討論手邊的工作,甚至是布料設計。她回憶道,在她自己的宣傳工作之中:「最後的主題素描是慶祝紅衛兵十五周年的節慶布料……根據紅衛兵的看法,坦克有點過時了,但身為一個門外漢,我當然不知道。」邁耶-伯格納一直管理工廠至1936年,直到她與邁耶脫離史達林開始大整肅的日益危險局面。在瑞士待過一段時間後,他們來到美國及中美洲旅行,邁耶-伯格納在墨西哥被聘為教授;待在那裡的十年間,她再次被聘來協助發展貧困人家的手工編織技術,但這次是在墨西哥的伊斯米基爾潘(Ixmiquilpan)。

從1949年後,邁耶夫妻就回到瑞士,合編與包浩斯相關的出版品,直到邁耶1954年去世。莉娜‧邁耶-伯格納小丈夫十七歲,比他多活了二十五年的時間,餘生致力於整理丈夫的作品並出版。

瑪格瑞莎‧雷卡茨（Margaretha Reichardt）

　　極少數包浩斯畢業生在他們後來的生涯中能得到更多讚美：萊比錫商展的最佳造形獎，德意志民主共和國（GDR）文化部的榮譽學位和GDR文化協會約翰內斯‧貝歇爾（J.R. Becher）金牌獎，是頒給瑪格瑞莎‧雷卡茨（Margaretha Reicharde）的其中三個獎項，而「格雷特」（Grete）是雷卡茨離開包浩斯後於編織作品上所使用的名字。儘管是在包浩斯時收到這些榮譽，但卻不是因為包浩斯，在德意志民主共和國的政治文化中，藝術學校是不被認真對待的。離開包浩斯後，雷卡茨選擇發展個人的作品主題，致力於工藝理想，而非延續學校大量生產及工業應用的機能性的創作宗旨。一直到生命尾聲，她才回到根本，開始再製並思考她過去的包浩斯作品。

　　十四歲時，雷卡茨就讀家鄉愛爾芙特（Erfurt）應用藝術學校（Staatlich Städtische Handwerker-und Kunstgewerbeschule），並完成四年的學習課程。瑞納‧貝倫德（Rainer Behrends）在替她寫的傳記中描述，1923年在校外考察教學時參觀了包浩斯在威瑪市舉辦的第一次展覽，必定讓她留下深刻的印象。畢業之後她就申請入學威瑪包浩斯，但直到1926年才在新址德紹開始學業。雷卡茨上了喬瑟夫‧阿伯斯與拉士羅‧莫歐尼-那基的基礎預備教育課程，也修了保羅‧克利、康定斯基及喬斯特‧舒密特的課。她專攻編織，1927年春天於接管編織工作坊的崗塔‧斯托爾策爾底下學習。後來她成為公開反對學校唯一一位女教授的學生之一；雷卡茨及其他學生被教師會逐出學校，但在德紹市長弗里茨‧赫斯（Fritz Hesse）的指示下復學（弗里茨當時屈服於德紹市議會右翼派的壓力下）。

　　在課堂中，她用不同的紗及布料做實驗，就像製作布料拼貼「格雷特布料」（Gretelstoffe）一般。她使用"Eisengarn"織出耐用又穩定的細繩——"Eisengarn"字面上意思為「鐵紗」，一種源於德國十九世紀中發明的反光棉條商標名，這細繩被馬歇爾‧布魯耶用在他的鋼管狀家具的靠背、底板座及扶手上。1930年代她開發出德紹容克斯（Junkers）飛機座椅的專用墊。此外，她也開發出吸音及具有反光特質的布料，設計出繪畫風格編織的繡帷，還參與包浩斯大型專案，例如柏林附近貝爾瑙（Bernau）貿易聯盟聯合學校（ADGB）及

生：1907年三月六日，愛爾芙特，德國。

卒：1984年五月二十五日，愛爾芙特 - 比斯克里班，德國。

加入包浩斯：1926年。

居住地：德國、荷蘭。

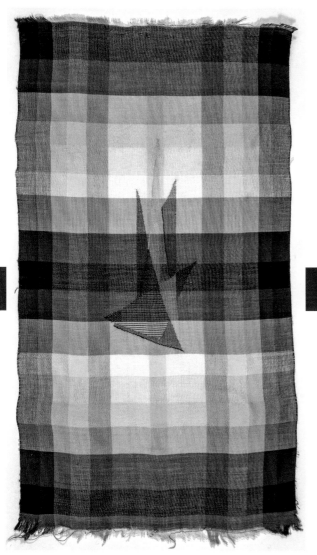

左上：瑪格瑞莎·雷卡茨，「教堂尖塔」嵌補
於編織布料，約1926-1931年。

右上：瑪格瑞莎·雷卡茨與三年級學徒柏吉
爾·賽弗爾特（Burgel Seifert）於織布機前，
1956年。

德紹的歌劇咖啡館之傢飾設計。在通過德紹安哈特（Anhalt）商會所主辦的技能考試後，她與莉娜·邁耶-伯格納一同到東普魯士的柯尼斯堡度過實習期，收留她的前包浩斯人修斯·歐羅-康賽穆勒在那裏管理居家工作者聯盟的手工編織工作室。

在收到包浩斯布料設計的文憑之前，她一回去就在工作坊多花了兩個學期時間擔任首席編織師，文憑上提及：「有鑑於曾做過的工作，她不需要再交畢業專題。」後來她到了海牙藝術家蘇菲亞·格曼肯（Sophia Gemmeken）設立編織工作坊，並向皮特·茲瓦特（Piet Zwart）學習印刷工藝。1932年，雷卡茨回到德紹，到康定斯基的繪畫課當旁聽生。她下定決心設立編織工作坊，而在1933年回到愛爾芙

特創立自己的手工編織工作室──格雷特·雷卡茨手工編織坊（Handweberei Grete Reichardt）──所使用的設備是德紹包浩斯關閉時從那裏買來的兩台織布機。超過五十年的時間，她專心經營自己的事業，參加貿易展，獲頒許多獎項，也跟舊時代一樣，訓練學徒及編織師傅，大部分她新創的作品是設計和製作紀念品與日常使用及裝飾用的布料，包括服飾材質與窗簾、桌巾等傢飾布料。她的布料都具有一致性高品質特色，但未被選為工業化生產。

她的第二個藝術天份展現在如畫的織品上，絕大部分都是在織布機上直接設計的，不做紙樣而且上面通常有她名字的組合圖案「gr」。她對花園及大自然、詩與音樂特別感興趣──這些元素都影響了她的編織藝術品，包括多結的地毯和自由型態手指結繩（Fadenspiele）系列作品。自1936年起，她的帝國文化院成員資格──一個強制所有富創造力的藝術家加入會員的政府機構──讓她能參與很多應用藝術的展覽，包含萊比錫格拉西博物館的展覽，在那裡她有一個攤位用來宣傳她的產品廣告長達數十年的時間。在1937年的巴黎世界博覽會，雷卡茨獲頒榮譽證書；兩年後，她的工業紡織原料設計贏得米蘭三年展的金牌。她的丈夫為前編織坊學生漢斯·華格納（Hans Wagner），兩人於1936年結婚，三年後由阿爾弗雷德·阿恩特（Alfred Arndt）於普羅布斯策拉（Probstzella）的建築事務所以所謂的「家鄉風土」（Heimatschutz）風格，建造他們的住家及工作室──在二十世紀前於德國流行的本土建築運動。建造在愛爾芙特-比斯克里班（Erfurt-Bischleben）的這個房子由她構思，根據包浩斯人弗里德里西·康拉德·普歇爾（Friedrich Konrad Püschel）1937或1938年草擬的初始設計為草圖。1942年正值戰亂時期，雷卡茨仍通過手工編織的工匠碩士考試。

戰爭結束後，雷卡茨繼續經營她的私人工作坊，而且她是休伯特·奧夫曼（Hubert Hoffmann）為1949年西柏林第一屆影響力展的二十一位包浩斯人收集作品之一，這場展覽在延續包浩斯思想方面扮演重要的角色。1952年與丈夫離婚前，兩人共同經營工作坊，但自此之後她即獨自管理工作坊。在1953年，漢堡的州立藝術學校提供她一個教職，她婉拒了。她卻在餘生訓練無數的編織家也創作數不清的掛毯，其中有些是備受關注的官方委

左：瑪格瑞莎（「格雷特」）·雷卡茨在工作坊簡冊封面的「gr」標誌，齊格弗里德·卡夫（Siegfried Kraft）設計，1962年。

右：瑪格瑞莎·雷卡茨，《大地》（Terra），威瑪國家劇院中浮士德人（Der faustische Mensch）繡帷的細節，1979-1980年。

託案。無庸置疑地，在後半事業中最精彩的部分，是在1978至1980年間依據「浮士德人」主題為威瑪德國國家劇院創作的一系列壁掛。大約同時間——了不起的喚回記憶行為——她還原了包浩斯時期的主題並再製早期的設計；她也再現早期的作品，透過當代作品有機會反省包浩斯過往。1970年代開始，雷卡茨支持德意志民主共和國（GDR）在文化政治領域的新努力，以「廣泛性與多樣化」的領導政策，保存威瑪及德紹包浩斯時期的回顧，此外她也受邀參加很多官方活動，在公共場合幫助修復此機構樣貌。

歐緹‧貝爵 (Otti Berger)

烏爾‧穆勒 (Ulrike Müller) 及英格麗德‧瑞德瓦爾特 (Ingrid Radewaldt) 共同撰寫

生：奧蒂莉亞‧伊斯特‧貝爵，
　　1898年十月四日，利瑪杰伐
　　克，奧匈帝國 (現今克羅埃西
　　亞)。

卒：1944年四月二十七日，奧斯威
　　辛，波蘭。

加入包浩斯：1927年。

居住地：奧匈帝國、南斯拉夫、克
　　　　羅埃西亞、德國、瑞典、英國。

「傳統思維的藝術及新觀點的設計，這是不可能的。因為『傳統』從來不是藝術。」編織家暨布料設計師歐緹‧貝爵 (Otti Berger)在1928年一次訪問中這麼說。最敏銳的感知能力、專業技術知識及不可思議的豐富創新和有創意的想像力，再加上教學的才能，使她站在包浩斯前衛派的第一線。然而，她因身為一個猶太女性，藝術潛能被悲劇性地結束。納粹於1933年接管德國，她隨即逃亡到英國，而後獲得一個在美國的教授職位。但她決定先去克羅埃西亞家鄉最後一次探望病重的母親。隨著戰爭在1939年爆發，她再也無法取得簽證，其後與家人被驅逐到奧斯威辛；納粹政策的殘暴武斷開啟他們悲慘的結局。

歐緹-奧蒂莉亞‧伊斯特‧貝爵 (Otti Otilija Ester Berger)於1898年出生，她的家鄉位於現今克羅埃西亞巴藍尼亞州 (Baranya)的利瑪杰伐克 (Zmaje-vac)，當時仍屬奧匈帝國一部分；1918年起成為南斯拉夫帝國一部分。時至

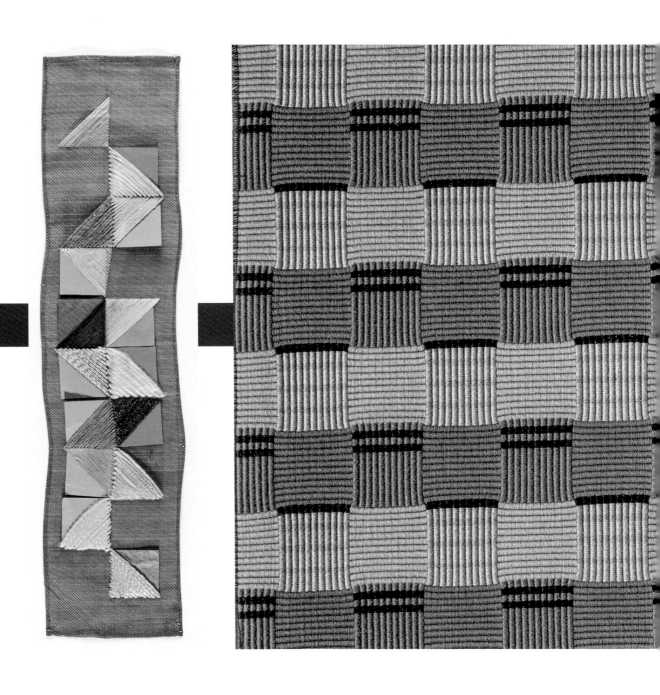

左：路西亞·莫歐尼，歐緹·貝爵有側面陰影的寫真照片，約1927–1928年。

左上：歐緹·貝爵，拉士羅·莫歐尼－那基的基礎預備課程中的「觸覺板」，1928年，縫線於絲網上，再運用不同顏色的紙板。

右上：歐緹·貝爵，格紋傢飾布料的樣板（卡西納/斯多爾克 [Cassina/Storck] 紡織料）。

今日，利瑪杰伐克也以它的匈牙利名弗洛斯馬特（Vörösmart）為眾人所知，這就是為什麼有時她會被認為是匈牙利藝術家的原因。在法蘭茲·約瑟夫一世君王（Emperor Franz Joseph I）統治期間，猶太人民（大約百分之五的比例）第一次享有無限制的居住權及宗教自由。然而，無法確定貝爵是否曾入學維也納的女子第二中學，但確定的是自1922到1926年，她到克羅埃西亞的首都札格瑞布（Zagreb）就讀皇家藝術暨工藝學院（the Royal Academy for Arts and Crafts）。後來她將此學院評為「傳達無趣的場所」。

　　1927年一月，貝爵入學德紹包浩斯，有三位老師特別支持她：繼康定斯基之後，保羅·克利是她最重要的型態及顏色理論教授；她的朋友──紡織品設計師崗塔·斯托爾策爾，自1927年起開始擔任編織工作坊主任；還有拉

士羅‧莫歐尼-那基，基礎預備教育及金屬工作坊的主任（直到1928年止）。

在莫歐尼-那基的課堂中不只重視技術及實驗性的作品，還特別要求訓練學生的觸感。他要求學生製作所謂的「觸覺板」(Tasttafeln)；貝爵的作品顯然地讓他印象深刻，因為他將其收錄於理論教材《從材料到建築》(Von Material zu Architektur) 中。她的板子，由水平的金屬布料所組成，繡入不同顏色線的三角形，後嵌入色紙做的正方形，可以像盲文一樣用手指「讀取」，且可解碼成一種「材料字母表」。這個作品展現貝爵相當獨特的紡織品感知。

她的藝術天分也可在克利1927年秋季班的課堂研究中顯見，其水彩混色及色彩漸層研究看起來雖容易卻又相當精準。將克利的型態及顏色規則直接演示在布料中，並成就最大的技巧精準度與機能性，這對她而言顯然輕而易舉。克利使用音樂詞彙「複調」來解釋這些方法在系統全面性的效果——因為他們能夠開啟感知及心靈，提升跨體感的連帶性與富想像力的感知——完全與歐緹‧貝爵自身認知的感知相呼應。1930年，她在文章〈室內裝潢紡織料〉(Stoffe im Raum) 中這麼寫道，「舉例來說，在鋼琴蓋 [Flügeldecke] 裡，可能是音樂、流動、和諧、充滿韻律與震動。」這文章讀起來像是包浩斯工作坊的新方向宣言，但同時也表達其他概念。例如，貝爵提及大約西元前六百年畢達哥拉斯的宇宙和諧哲學系統，以及像是「和諧理論」等時間的藝術概念；在威瑪包浩斯由音樂老師葛敦‧葛爾諾 (Gertrud Grunow) 教導，直到1923年，理論主要講述聲音、顏色及律動的內外在平衡。對貝爵而言，在包浩斯的學習中，超越傳統的感知及表達形式是必要的，因為先前的疾病讓她幾乎全聾但卻提升了觸覺，如此讓她能「領會」布料的本質：「以你的手觸摸布料，就像眼睛看到顏色或耳朵聽到聲音一樣的令人愉快。」

當貝爵開始在德紹斯托爾策爾的編織工作坊學習時，主要目標已不再是製作獨一無二的藝術性作品，而是要開發出可複製的布料及可大量生產的樣式。就是在教室內從手工編織轉化成布料設計，而包括貝爵與安妮‧阿伯斯——兩人都熱情地追求這條路——等編織工作坊的學生成為成功的工業設計師。在斯德哥爾摩的喬安娜‧布倫森編織學校待過一個學期後，於1929年十一月，因斯托爾策爾剛生了第一個女兒，貝爵及阿伯斯曾暫時取代她的職位。

上：歐緹‧貝爵於高經紗織機上，1932年。

右：歐緹‧貝爵，手結地毯，約1929年，士麥那結，羊毛織於亞麻經紗上。

「以你的手觸摸布料，就像
眼睛看到顏色或耳朵聽到聲
音一樣的令人愉快。」

歐緹·貝爵。

貝爵負責的業務包含為貝爾瑙的國家工會學校（National Trade Union School）製作布料，這些布料由包浩斯校長漢斯·邁耶（Hannes Meyer）與其他如路特·史丹（Lotte Stam-Beese）等人協助設計。根據「室內裝潢紡織料」裡的概念，她以莫歐尼·那基所闡述與新建築學有密切關係的結構、組織、製作及顏色原則做出分析並設計紡織品。她同意邁耶的看法，在居家裝飾方面，沒有過剩的空間，也應與建築一樣，講究實用性與機能性。「為什麼我們仍需要……花、藤蔓、裝飾品？布料本身就是有生命的。」然而貝爵對於他過度使用像是「結構」與「機能導向紡織」（gebrauchsorientierteres Weben）這些詞彙感到討厭，因為在邁耶「重複發明」並像祈禱文一樣不斷地重複這些詞彙前，編織工作坊長久以來即已闡述並實現這些原則。

在1930年九月九日的一封推薦函中，斯托爾策爾表達出她對於這比她資淺一年的學生之作品有多麼感動：「（貝爵的作品）在這部門中是最棒的。」包浩斯內的陰謀帶來與日俱增的壓力，也包括一次反猶太的毀謗行動之下，斯托爾策爾在1931年九月三十一日從包浩斯離職，然而她全力支持將編織工作坊藝術暨技術指導的工作委託給貝爵的決定。

於前一年，1930年十月五日，貝爵已經在薩克森的格勞豪

(Glauchau)通過技能考試，同年十一月二十二日獲得包浩斯學位文憑。當時她主動接下大型東德紡織品公司的訂單。此外，她也成為包浩斯評審委員會一員，挑選工業生產的布料。然而，在1932年密斯‧凡德羅成為包浩斯新校長，將工作坊的管理職轉給他的生活及工作夥伴莉莉‧瑞希(Lilly Reich)時，貝爵的主任職涯就此結束。儘管瑞希剛開始極度依賴她的幫助，仍只給貝爵半工合約；雖然瑞希已有設計師之名，但她不曉得如何編織，因此造成工作坊內的衝突。從那時起的包浩斯樣品書展示表現兩位女性風格及標準的優雅高品質布料，但卻未署名於作品上。即使在她離開之後，貝爵仍捲入專利權及其所創作的原型酬金等糾紛中，直到包浩斯關閉為止；最終，學校從她那邊詐取八百馬克(大約現今美金三千五百元)。

德紹包浩斯在1932年秋季被強制關閉後，貝爵買下學校一些織布機及工作坊材料，在柏林-夏洛特堡(Berlin-Charlottenburg)開了自己的工作室。對她來說，這不只是一個工作坊或事業，且是研究實驗室，在其中實驗性材料與組合，以為客戶開發新布料及概念，更將其中一些申請專利。到了1933年在格羅佩斯的資助下，她接到幾個像荷蘭迪彭伊克(De Ploeg)及蘇黎世汪貝達夫(Wohnbedarf AG)等大公司的委託案，不久後她就有信心地以歐緹‧貝爵紡織料(Otti-Berger-Stoffe)的商標將她的布料上市。同年，她接下位於哥利茲(Görlitz)附近的勒鮑(Löbau)，由建築師漢斯‧夏隆(Hans Scharoun)所建造的施明克寓(Schminke House)之室內設計工作。

所有的一切在1933年全都改變，貝爵的事業很快地來到尾聲。儘管如此，她的作品仍持續呈現在公開場合，歸功於她對註冊專利的堅持及商標的強化。在1934年，她獲得「雙層編織傢俱布料」(Möbelstoff-Doppelgewebe)在德意志的專利，且被接納為德國工匠協會的一員。在1936年，於一年前申請入會的德意志藝術協會卻被駁回；這實際上意味著專業禁令(Berufsverbot)。然而，為了持續她的「非亞利安外國人」德國居留權，她必須提供穩定收入來源的證明。

在這種狀況下，她在1937年與一家英國布料公司取得聯繫，且在九月移居英國，剛開始由路西亞‧莫歐尼提供在倫敦的住宿。後來搬到紡織城曼徹斯特，在那裏找到的工作幾乎都是不給薪的；唯一的例外只有赫利俄斯(Helios)公司，她在那裡找到一個有給薪為期五周的短暫職位。1937年十二月，她成功地將其中一種布料在倫敦註冊專利。原本計畫與她在美國一起生活的建築師伴侶路德維希‧希爾貝賽默(Ludwig Hilberseimer)，曾寫了一封安慰信，但是因為她的聽力受損及英文不好，她覺得越來越孤立；「我日復一日、夜復一夜孤單、悲傷且沮喪的坐著。」她在1938年這麼寫道。但之後出現一線曙光：莫歐尼-那基邀請她到芝加哥的新包浩斯領導編織工作坊。她的起程日推延了，同時也受邀的希爾貝賽默在1938年八月就前往芝加哥。在離開前，他到倫敦拜訪貝爵，並反對貝爵最後一次去克羅埃西亞探望母親的旅行計畫。最終，她永遠失去離開的機會。

「(貝爵的作品)在這部門中是最棒的。」
崗塔‧斯托爾策爾。

右：歐緹‧貝爵，雙面織物設計，1936年。

o.b.doppelgewebe

atlas mit feinen querschüssen(schlecht)abbindung
zu lose vom oberschuss.

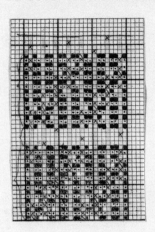

schreiber:
30.18.36

　　雖然她媽媽的情況好轉，貝爵卻不能再拿到美國的簽證。貝爵可能永遠不會知道同樣有猶太血統、才華洋溢的包浩斯編織家瑪莉‧海琳‧赫里曼（Marie Helene Heimann，或稱為瑪莉‧葉爾曼[Marli Ehrman]）被莫歐尼-那基選擇來取代貝爵監督芝加哥的編織工作坊，她在1938年仍設法移居美國。1941年，一封貝爵僅存的信件中，她在抱怨著家中的狹窄，及仍然希望移居，討論地毯作品。但從此之後她就斷了音訊。

　　在1941年南斯拉夫帝國崩解之後，克羅埃西亞在法西斯主義的烏斯塔莎政權領導下，成為希特勒及墨索里尼政權的附庸國，為了除去國家內的「反國家份子」，設立了二十四個集中營。她的家庭被直接驅逐到奧斯威辛，從2005年以色列猶太大屠殺紀念館（Yad Vashem）的俄文紀錄中證實，剛開始他們並未被拘留在集中營。此外也第一次揭露她確切的死亡地點與日期——「奧斯威辛集中營，1944年四月二十七日」——貝爵生前在戰時最後一個居住地也被提供：她的家鄉利瑪杰伐克。

瑪嘉烈特‧丹貝克（Margarete Dambeck）

開車時，瑪嘉烈特‧丹貝克（Margarete Dambeck）總是在所到之處引起騷動。這位優雅的女性是一位訓練有素的紡織料設計師，為威瑪共和時期有自信又獨立的「新女性」原型。當她在四十三歲中風過世時，留下的不僅是年幼的兒子，還有自己的布料工作坊及將包浩斯教學傳給下一世代的未竟雄心。

身為德國格平根（Göppingen）刷具大師及自由民主黨的鎮議員，第四個同時也是最小的女兒，丹貝克在施瓦本（Swabian）鄉間成長。從女子中學畢業之後，她到當地的女子職業學校就讀，主修時尚及素描。有次回老家時，她的兒時玩伴，格平根鎮長的兒子同是包浩斯學生的喬治‧赫曼（Georg Hartmann），說服丹貝克跟他一起到德紹。在她父親於1927年過世前不久，允許他十九歲的女兒離開家鄉前往當時最創新改革的學校。在她被學校錄取後，進入喬瑟夫‧阿伯斯的基礎預備教育課程，之後更在崗塔‧斯托爾策爾的編織工作坊接受訓練。她與童年曾在格平根待過一段時間的奧斯卡‧史勒姆發展出特別的情誼，也與其妻塔特（Tut）成為朋友。1930年時，她收到包浩斯第二十一號學位文憑。其後即使離開包浩斯，也與她最好的朋友歐緹‧貝爵及流亡到墨西哥的漢斯‧邁耶和逃到瑞士的崗塔‧斯托爾策爾與邁克斯‧比爾保持聯繫。

在前包浩斯老友的幫助下，她的第一份工作是1931年在布拉格高級訂製服羅森巴姆（Haute Couture Rosenbaum），很快地就擢升至公司的管理階層。她與前包浩斯友人威那‧大衛‧菲斯特（Werner David Feist）開始一段關係，並偶爾與他到義大利旅行。為了當日往返的旅遊，丹貝克買了人生第一輛車BMW Dixi。在1933年，為了與在弗次瓦夫（Breslau）的史勒姆家人更靠近些，她應徵了位於萊辛巴赫（Reichenbach）的柯恩＆尚恩公司（Cohn & Sons）擔任樣式設計師職位，這是一間專門生產藝術織品的紡織料公司。公司的猶太老闆康托洛維茲家族——丹貝克與她的狗「瓦西里」曾短暫同住過一陣子——之前就對她那激起義大利一時風潮的時尚設計印象深刻。她

生：1908年六月五日，格平根，德國。

卒：1952年四月二十九日，格平根，德國。

加入包浩斯：1927年。

居住地：德國、捷克斯洛伐克（現今捷克共和國）、義大利。

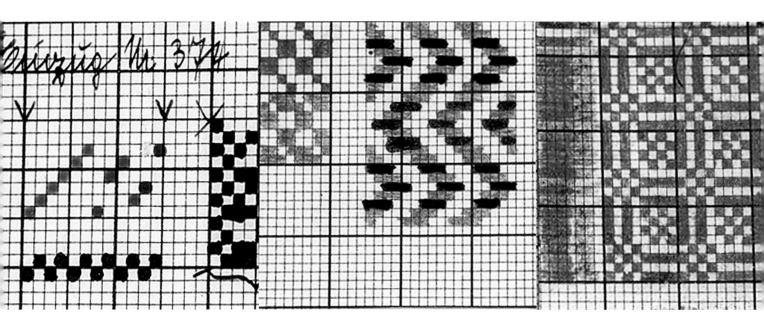

上：瑪嘉烈特・丹貝克，工作坊藝術紡織樣式設計，1940年代晚期。

左：瑪嘉烈特・丹貝克，於駕駛座上，約1932年。

自己曾寫道，為了與弗次瓦夫的史勒姆一家人共度所有休閒時間，她買了一台DKW Reichsklasse敞篷車。

據家庭故事所述，丹貝克為了幫助康托洛維茲家族取得出國的簽證奮鬥，保護他們免於納粹政府的拘留；為了讓自己看起來更像亞利安人好與政府當局協商，她甚至在自己的高鼻子上做整型手術。她成功地說服大區長官（Gauleiter，納粹時期各大區長官）允許富有的康托洛維茲家族移民到英國。她甚至造假申報他們高價的藝術收藏品是包浩斯在倫敦展覽的展品之一，安排運輸到英國。在1942年，透過紅娘廣告，她認識來自奧芬巴哈（Offenbach）時髦的沃爾特・凱勒（Walter Keller），而在當年七月與他結婚，那時丹貝克三十四歲；正因如此，她婉拒在米盧斯（Mulhouser，位於亞爾薩斯大區）的藝術暨時尚學校紡織品系的主任職位。在1943年初，她與丈夫一同搬回家鄉且懷孕了。然而在同年，她歷經了兩次殘酷的命運轉折：在他們結婚一周年不久後，她的丈夫因先天心臟缺陷過世，未能見到未出世的兒子；此後不久，懷孕且新寡的丹貝克-凱勒的家遭到轟炸。

她回到自己的家鄉格平根，在1943年十月正值戰亂時期，生下兒子沃爾特（Walter）。不久之後就開了自己的藝術編織樣式工作室，這間手工編織工作室內只有兩台織布機及一個員工。在德國瓦解後，她的高質量布料需求量很大，特別是美國軍隊的訂單。此外，她還擔任位於文德林根（Wendlingen）大型紡織廠的獨立樣式顧問，生產郵購公司奧托（Otto）的訂單。她在1952年驟逝，使得終於向上翻轉的人生黯然畫下句點，在這之前她滿心期待著與邁克斯・比爾在烏姆（Ulm）附近一同創辦設計學校，也等待著從德國車商古特布羅伯（Gutbrod）訂購的小車。

佛羅倫薩‧亨利（Florence Henri）

當她還是青少年時就已經住過六個國家，上過四種不同語言的學校；成年之後，她短暫成為無國籍人士，藉由與一個瑞士人假結婚逆轉這樣的情況。佛羅倫薩‧亨利（Florence Henri）一輩子都以不同方式生活：獨特的國際化、現代化與獨立性。她在紐約市出生，但兩歲時母親過世，之後在歐洲各處與不同的親戚同住。她的父親在她十四歲時過世，留下的遺產讓她得以過著似乎可以成為藝術家的生活。之後搬到羅馬與常款待義大利未來主義流派人士的阿姨與叔叔同住，這只是她認識的許多藝術家團體之一，而最終藝術是她的歸屬處。身為一個有造詣的鋼琴家的她，在二十幾歲成為畫家，向漢斯‧奧夫曼（Hans Hofmann）與費爾南‧雷捷（Fernand Léger）學習。在包浩斯，她找到自己心之所嚮：攝影。

自1920年代早期開始，亨利認識或聽過許多包浩斯人的名聲，包含路西亞‧莫歐尼、拉士羅‧莫歐尼-那基、保羅‧克利及瓦斯里‧康定斯基。所以當她1927年四月拜訪在包浩斯就學的友人瑪格莉特‧沙爾（Margarete Schall）和葛雷特‧威勒斯（Grete Willers）後，她做出以練習生身分入學就讀一學期的決定，就一點也不足為奇。她修了莫歐尼-那基與喬瑟夫‧阿伯斯的基礎預備教育課程，還有康定斯基及克利的課。路西亞‧莫歐尼拍攝出亨利身為獨特現代化女性的寫真，她也教亨利攝影，讓她使用自己與莫歐尼-那基教師宿舍的暗房，據悉亨利可能也短暫住過。在包浩斯時，亨利交到一輩子的朋友，包括沃爾特與伊斯‧格羅佩斯、希納克與露‧薛佩爾、赫爾伯特與艾琳‧拜爾，以及馬歇爾‧布魯耶，亨利要離開時還買下布魯耶的包浩斯家具，後來運到她在巴黎的公寓。

她開創出現代女性的全新樣貌。她自身的寫真照則被視為女權主義藝術史的指標，因為她融合了女性的妝容及男性特質——短髮、有袖襯衫及泰然自若的眼神——也因為照片中的金屬球體，很多人將此解釋成她為自己賦予「球體」。亨利也訓練其他女性攝影技巧（還有一些男性），最具代表性的，非同住巴黎的朋友兼伴侶沙爾（Schall）莫屬。男孩樣、抽菸、似乎陷入沉思狀的沙爾，與門板一同反射照片中，這樣的女同性戀意象呈現在眼前卻又碰

生：1893年六月二十八日，紐約，美國。

卒：1982年七月二十四日，拉布瓦西埃（Laboissière-en-Thelle），法國。

加入包浩斯：1927年（當練習生）。

居住地：美國、德國、奧地利、英國、法國、義大利、摩納哥、瑞士。

上：佛羅倫薩‧亨利，自拍像（和球體），1928年。

右：拉士羅‧莫歐尼-那基，「佛羅倫薩攝影照片」（Zu den Fotografien von Florence Henri），i10（阿姆斯特丹），編號17/18，1928年十二月二十日，兩張佛羅倫薩的攝影作品：構圖照，1928年（上），及自拍照，1928年（下）。

最右：佛羅倫薩‧亨利，瑪格莉特‧沙爾的構圖寫真照，1927-1928年。

觸不到。亨利的物體寫真同樣地也因未來主義的現代感得到讚賞。1928年，莫歐尼-那基將亨利的作品形容為攝影界預料不到的嶄新篇章。不管是展覽或出版品中，亨利的攝影讓歐洲藝術界為之傾倒。她有二十幾張攝影作品在1929年的FiFo展（電影暨攝影展）展出。她以鏡子與捲線筒為構圖的照片是少數幾張刊登在目錄的其中之一，在其旁的是嚴厲的評論家喬瑟夫·阿伯斯的評論，他忍不住地把它評為「最佳」。

在經濟大蕭條期間，亨利得到的遺產已無法供給她的需求；在1930年代初期，她開了一間受歡迎的寫真工作室，訓練過吉賽兒·弗羅因德（Gisèle Freund）與莉賽特·瑪荳（Lisette Model）等攝影師。她也為廣告商及主流出版商從事商業攝影，藉此在不可能的地方宣傳新視野（New Vision）攝影，例如隱晦描寫情色的巴黎雜誌，其中也刊登攝影師吉曼·克魯爾（Germaine Krull）及曼·雷（Man Ray）所拍攝的裸體照。1938年她的作品到紐約的現代藝術包浩斯展覽展出。的確，她在德紹包浩斯的時間相對短暫，但亨利與前後學期的包浩斯藝術家結盟，她的作品一直被視為包浩斯的成就之一。儘管晚年亨利漸漸地回歸繪畫，也仍持續攝影。她所遺留下來的作品，也許在1929年埃森（Essen）展出的當代攝影（Fotografie der Gegenwart）回顧展中已做了最佳的總結：「法國貢獻很多過時的仿冒，但只有一位現代攝影師：佛羅倫薩·亨利。」

FOTO FLORENCE HENRI

zu den fotografien von florence henri

die fotografische praxis tritt in weiterem masse in ein neues stadium, als es bisher gewahrsagt werden konnte. neben der dokumentarischen, präzisen, exakten fassung der überscharfen fotografien [1] wird die untersuchung der lichtwirkung nicht nur in den abstrakten fotogrammen, sondern auch an den gegenständlichen fotos in angriff genommen. die ganze problematik der manuellen malerei wird in die fotografische arbeit aufgenommen und durch das neue optische mittel natürlich wesentlich erweitert. besonders werden spiegelungen und räumliche beziehungen, überschneidungen, durchdringungen unter einem neuen perspektivischen aspekt untersucht.
die ausdeutung und zusammenfassung dieser bemühungen soll für einen späteren termin aufgeschoben werden, bis ein grösseres material vorliegt. **m-n**

[1] wir bringen demnächst in „i 10" darüber eine diese fragen sehr klärende diskussion.

FOTO FLORENCE HENRI **117**

葛莉・卡林–費雪（Grit Kallin-Fischer）

藝術家葛莉・卡林-費雪（Grit Kallin-Fischer）在許多領域都相當傑出，但她的攝影作品最為出色。構圖強而有力，她實現了老師拉士羅・莫歐尼-那基的召喚，擺脫陳舊畫報式的傳統手法，並使用新技術和視覺世界「建立……新關係」。卡林-費雪的生活恰巧與她不落俗套的藝術相呼應，儘管她的階級出身僅高於一般水平，她的包浩斯同學威那・大衛・菲斯特（Werner David Feist）曾在包浩斯回憶錄中這麼寫道：「被認為離經叛道的包浩斯，對少數勢利的人有致命吸引力。例如，有一位極具魅力的成熟女性，加入包浩斯並認識其中有名的明星，可能帶來複雜的變化……似乎連阿伯斯也被她吸引。」

又名瑪吉特・弗里斯（Margit Vries）的她在法蘭克福長大，在1910年十三歲時搬到比利時上寄宿學校開始了藝術訓練。在一封寫給母親的信中表達出她的不滿，寫道她已厭煩畫風景及花的靜物畫：「妳知道的，我只對肖像畫及人體寫真有興趣。」隔年，她先繼續在馬爾堡學習繪畫，接著到萊比錫藝術學院在印象派藝術家路易士・柯林斯（Lovis Corinth）底下學習。第一次世界大戰之後，她搬到柏林遇見俄國流亡音樂家馬里克・卡林（Marik Kallin）。在1920年，兩人結婚搬到倫敦，但葛莉・卡林只住了六年。兩人在1926年分開後，她回到德國，但直到1933年兩人才正式離婚。她在1927年秋天被包浩斯錄取，學生編號233。研修了喬瑟夫・阿伯斯的基礎預備課程、保羅・克利和康定斯基的繪畫與製圖解析課程，另在莫歐尼-那基指導的金屬工作坊短暫主修，也在奧斯卡・史勒姆的戲劇工作坊度過碩果纍纍的時期。攝影也是她在包浩斯時期開始的，而這個表現方法使她的才能及完美構圖的多年訓練更加淬鍊。

卡林拍攝包浩斯同伴的新鮮又具原創性的寫真研究照片帶有莫歐尼-那基的新視野精神，但她轉化成自身的風格。她拍下周遭男女的生動照片，包含一系列戲劇工作坊夥伴、畫家、舞者及以各種樣貌出現的演員阿爾費雷多・博爾托盧齊（Alfredo Bortoluzzi）——小名費雷多（Freddo）——的照片。其中一張極小的白圓臉化妝將他變成一個憂鬱的現代派小丑。因為下垂的臉龐

生：瑪吉特・弗里斯，1897年，法蘭克福，德國。

卒：1973年七月十七日，紐頓，賓州，美國。

加入包浩斯：1927年。

居住地：德國、比利時、義大利、英國、美國、瑞士。

上：艾琳・拜爾所攝葛莉・卡林肖像照，約1928年。

右：葛莉・卡林-費雪攝，阿爾費雷多・博爾托盧齊（費雷多）肖像照，1930年。

及出神的眼神，費雷多似乎不曉得觀眾正在看著他，隨著目光看到他精壯的上半身裸體；對男性之美並非免疫的攝影師同樣也有類似的凝視眼神。另外，卡林也拍攝了她未來第二任丈夫的照片，包浩斯美國籍學生愛德華‧費雪（Edward Fischer）。

在與費雪一起回到柏林後——可能在1928年終或1929年春天——卡林持續藝術創作及攝影。據《商業藝術》雜誌（Gebrauchs-graphik）的編輯赫曼‧卡爾‧法蘭茲（Hermann Karl Frenzel）所描述，卡林的作品完美結合攝影師與現代派藝術家應有的強度。她與赫爾伯特‧拜爾及莫歐尼-那基的攝影作品一起在1931年被送到紐約參加曼哈頓第五十六街的藝術中心展覽，當時紐約時報將此展稱為：「第一次歐洲商業攝影作品在本國最盛大的展出。」

卡林與費雪在1934年結婚，其後搬到紐約市。他們的生活圈涵蓋了許多包浩斯成員，而在1930年代晚期，費雪一家人搬到賓州紐頓，一棟由友人沃爾特‧格羅佩斯及馬歇爾‧布魯耶專為他們設計的房屋中。戰後，葛莉‧卡林-費雪不再拍攝照片。她反而將自己投身於雕刻中，並旅行到歐洲長居瑞士及義大利，特別向馬里諾‧馬里尼（Marino Marini）學習。她也時常回到德國，但最後在移居的美國度過晚年。

瑪嘉瑞特・雷許內（Margarete Leischner）

博庫・多拉瑪奇（Burcu Dogramaci）撰寫

芙烈達・瑪嘉瑞特・雷許內 (Frida Margarete Leischner)，後來總被稱為瑪嘉瑞特・雷許內 (Margarete Leischner)，從德紹包浩斯學生時期發跡，在英國流亡期間成為獲獎無數的紡織布料設計師。1927到1930年間她在編織工作坊學習，包浩斯不只對她的作品有長久影響，也教她如何針對工業需求解決設計性問題。所有包浩斯工作坊的學生都必須精通基礎技術與專業知識，例如對材料的理解度、布料測量和編織理論；工作坊學生被期望藉由了解材料的特性，發展出創新的設計。

雷許內於1930年通過技能考試之後，擔任教授崗塔・斯托爾策爾的助理及印染工作坊主管。1931年，她轉到位於海勒勞 (Hellerau) 的德國工作坊擔任家用紡織料設計師。從1932至1936年，她也管理柏林紡織品及時尚學院的編織工作坊。她的實作及教學經驗成為英國流亡期間，欲全新開始的必要條件。雖然雷許內本身並未受到迫害，據推測她是因為政治及專業因素離開納粹德國。

在納粹統治下，很多雷許內的同事與朋友因為宗教或種族因素被迫害，可能導致雷許內受到影響。此外她的藝術社交圈就是在包浩斯，被納粹政府認為是「文化上的布爾什維克」(culturally bolshevistic) 前衛藝術學校。雷許內可能因為工作機會決定到英國，此機會是在英國紡織業的創新中心曼徹斯特，最終在那裏找到數個就業機會。即使在她被視為敵國僑民短暫居留後，雷許內仍能繼續她的職業：以顧問及設計師的身分，為托波克特 (Stockport) 的R. Greg & Co. Limited棉紡工廠，及其他客戶如福瑟吉爾 & 哈維 (Fothergill & Harvey) 和英國海外航空公司 (the British Overseas Airways Corporation，BOAC) 開發新的紗線及布料。她在包浩斯所學的對實驗、創新及技術提升的開放性，皆讓她在從事這類工作時占盡優勢。在與實驗室合作之下，她創造新材質 (纖維紗)，以嶄新處理方法做實驗，並密集開發生產市場導向的型體與顏色。在這過程中，她設計了飛機的內裝，且使用耐用的編織尼龍面料"Tygan"製作合成汽車椅墊。家具製造商蓋・羅傑斯有限公司 (Guy Rogers Limited) 鼓勵她使用哈里斯毛料 (Harris Tweed)——一種蘇格蘭純羊毛纖維，

生：1907年四月十五日，比紹夫斯韋爾達 (Bischofswerda)，德國。

卒：1970年五月十八日，梅波赫斯特 (Maplehurst)，西薩塞克斯 (West Sussex)，英國。

加入包浩斯：1927年。

居住地：德國、英國、印度克什米爾。

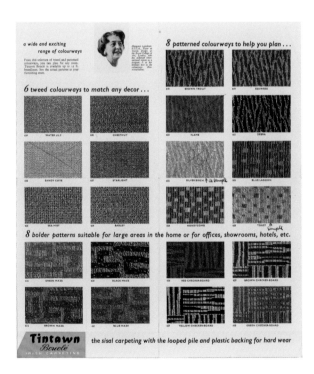

最上：瑪嘉瑞特・雷許內夏季班的包浩斯學生證，1930年。

上：「Tintawn地毯」目錄內有瑪嘉瑞特・雷許內的設計。

通常用在服飾上──來製作她的傢飾傢俱。在1959年，雷許內開始為設立在愛爾蘭基爾代爾郡（County Kildare）紐布里奇（Newbridge）的愛爾蘭繩索有限公司（Irish Ropes Limited）工作，此公司在1933年以"Tintawn Carpets"商標註冊生產其劍麻地毯。她在愛爾蘭繩索的工作挑戰在於將這種又大又重的劍麻原料製作成特定的尺寸，但仍需有精緻的設計圖案，因為劍麻的耐磨性，非常適合用在有耐用需求的地毯上。在雷許內的積極創新之下，公司推出一個新珍藏系列，其中她負責色彩概念與樣式。在公司冊子中也提到她，將其形容為「倫敦皇家藝術學院布料設計講師，在國際間享有知名設計師的聲譽，在如下的圖例中展現她最佳的配色。」

1948年，雷許內開始在倫敦的皇家藝術學院教課，且擔任編織課講師直到1963年。根據自身在包浩斯學習的經驗，在這職位中，雷許內投注更多的焦點於專業度上。第二次世界大戰後不久，雷許內試著與前包浩斯同伴重新取得聯繫。她與沃爾特・格羅佩斯和喬斯特・舒密特（Joost Schmidt）通信聯絡，特別與像她一樣住在英國的包浩斯人緊密聯絡，包含路西亞・莫歐尼及亨茲・勒夫（Heinz Loew）。

在她的新家鄉，雷許內的作品贏得廣泛讚譽：在1952年，她成為有名望的工業藝術家協會（Society of Industrial Artists）一員，而在1955年初，擔任印度政府顧問，為印度的手工編織業發展向政府提供意見，特別是在克什米爾地區。1969年，雷許內過世前不久，獲頒一個特別的爵位：「皇家工業設計師」頭銜（Royal Designer for Industry [RDI]），一個皇家藝術協會在1936年所提出的殊榮，即使到今日仍被認為是英國設計師的最高榮譽。

維拉・邁耶－瓦爾德克（Wera Meyer-Waldeck）

喬西尼亞・埃爾瓦斯・赫拉斯（Josenia Hervás y Heras）撰寫

在包浩斯接受培訓的少數女性建築師中最重要之一的維拉・哈娜・艾莉絲・邁耶-瓦爾德克(Wera Hanna Alice Meyer-Waldeck)出生於德勒斯登，1908年她只有兩歲時，舉家搬到埃及亞歷山大港，在那裏住到1915年。第一次世界大戰迫使她身為前普魯士樞密院委員的父親，與妻小一起搬到瑞士的格勞賓登州(Graubünden)的小鎮。維拉與她的姊妹們則在家自學德文課程。年輕的邁耶-瓦爾德克於1921年離開瑞士前往德勒斯登完成專上教育最後一年；從1922年至1924年，她接受兒童保育及幼兒教學訓練，而後轉學到德勒斯登藝術暨工藝學校研修三年。

1927年她搬到德紹入學包浩斯，她慢慢地堅信建築可以塑造對世界的新見解。1928年在包浩斯內部雜誌的訪問中，她聲稱包浩斯的課程內容比教學方法更沒意義。邁耶-瓦爾德克認為學生在專注獲得知識前，應先被教導為自己思考而有作為。她也相信包浩斯特別擁有任何其他學校不曾出現的態度。邁耶-瓦爾德克發現包浩斯獨特的方法在基礎預備教育中已清楚顯現，課程培養學生的創新思維而不僅是教導具體的技巧。她深信包浩斯課程也提供一些女性學生在其他地方所無法得到的：史無前例地能夠研修技術及藝術科目，在錄取不同的專業領域前就能被教授。在邁耶-瓦爾德克的訪問中，她主張就算那是唯一的課程，基礎預備教育本身就已讓包浩斯學習相當有價值。

邁耶-瓦爾德克對她所學的所有東西都感到好奇，但也努力保有批判的洞察力。她瞭解計算建築物結構體和解出代數定理等專業知識的重要性，也承認現代科技提供的舒適感。然而邁耶-瓦爾德克也堅持藝術之美的重要性，因為單有藝術就能為那些設計帶來高尚感。這樣融和藝術與科技的愛好正是在沃爾特・格羅佩斯指導下的包浩斯原則。但在漢斯・邁耶接任校長之後完全變樣，因為他專注於其他挑戰，特別是在建築和工程方面。

科技能打造新世界的承諾，吸引現代人們的全神貫注。然而這樣的未來裡似乎代表女性會被忽視，或最好的狀況是，女性成為男性工程師的助手。在包浩斯，有些像邁耶-瓦爾德克這樣的女性學生，她們也堅決地想要成為

生：1906年五月六日，德勒斯登，德國。

卒：1964年四月二十五日，波昂，德國。

加入包浩斯：1927年。

居住地：埃及、瑞士、德國、奧地利、美國。

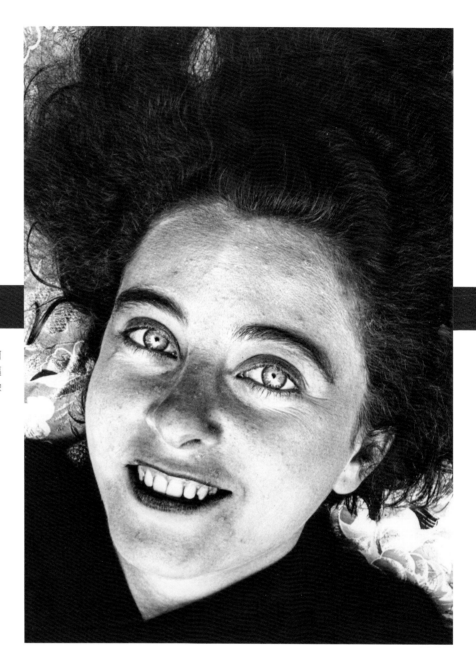

右：格特魯德·阿
恩特所攝維拉·邁
耶-瓦爾德克肖像
照，約1930年。

科技菁英之一，而不用拋棄情感或直觀能力。在1931年十二月，由於在木工工作坊的出色作品，她成為經過德紹木匠公會認證的木匠。她接著繼續研修建築，在1932年以有執照的建築師身分畢業。為了她的學位，她完成兩項期末設計專題，一項是設計有六十張床的孩童之家，另外一項則是有八間教室的學校。校長路德維格·密斯·凡德羅親自在她的學位證書上簽名，內容詳述她在爾文公司（the Erwin）木工部門、柏林赫德嘉·皮斯卡托（Hildegard Piscator）的公寓、德紹的漢（Hahn）寓以及格羅佩斯設計的德紹職員辦公室的所有貢獻。

　　儘管她的資格豐富，一剛開始邁耶-瓦爾德克無法以建築師身分找到工作，所以在德紹容克斯（Junkers）公司開始了職業生涯，自1934至1937年負責

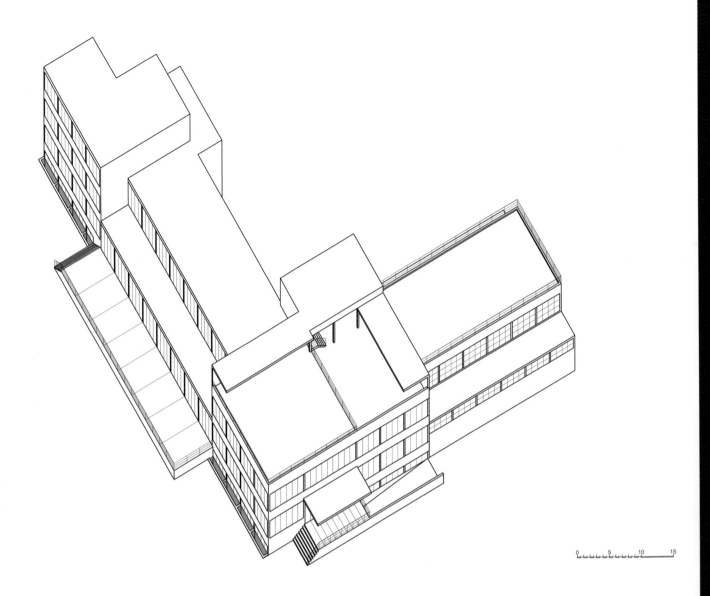

繪製飛機建造草圖。之後搬到柏林於國家公路局（Oberste Bauleitung der Reich-
sautobahn）的建築部門工作，專責橋梁、休息室及辦公大樓的建築設計。而
在1939至1941年，參與國家鐵路局的柏林火車站設計。在邁耶-瓦爾德克的
文件紀錄中顯示，在1942年收到西門子公司的工作邀約，但她似乎婉拒了。
卻自1942至1945年四月底到上西萊西亞，管理卡爾文礦業公司（Karwin Mining
Company）的規劃及建設部門。

　　第二次世界大戰尾聲，因為精通英語及法語，她得以到奧地利布勞瑙
（Braunau）附近礦場的美軍基地擔任口譯工作。其後從奧地利回到家鄉德勒斯
登，成為藝術暨工藝學院的室內設計講師。教學幾年之後，她離開東德搬到
西德的首都波昂，1950年在那裡成立了自己的建築事務所。她執行了一些中
型的案子，包括特皮斯施呂特（Teppich-Schlüter）商業大樓的改造工程，其中
設計一個引人注目的螺旋梯，被視為強化從學生時期所學的產品展示及展覽
動線知識的指標。

上：維拉・邁耶-瓦爾德克，特皮斯施呂特（Teppich-Schlüter）櫥窗展示及內部設計，波昂，1950年。

邁耶-瓦爾德克稱得上是建築界的先鋒，也想在戰後重建德國付出心力。她很熱衷學習新效能系統，而自1951至1952年建設波昂第一個使用輕量多孔伊通（Ytong）水泥磚的原型大樓。身為德國婦女聯盟（the League of German Women）董事會的一員暨公共工程住宅委員會（the Commission for Public Works and Housing）的主席，她在波昂策畫德國戰後第一次名為「居住……像這樣」（So……Wohnen）的住宅展覽會。她的聲望促成後續與漢斯・施維佩特（Hans Schwippert）合作波昂的聯邦德國國會建設案。

邁耶-瓦爾德克生命中的轉捩點就在1953年到美國時發生，她在那裡與前包浩斯校長格羅佩斯及密斯・凡德羅重逢。同等重要的是透過威廉・伍斯特（William Wurster）、凱薩琳・鮑爾（Catherine Bauer）及維儂・德瑪斯（Vernon DeMars）與加州柏克萊大學取得聯繫，還與德瑪斯共同授課。邁耶-瓦爾德克認為，柏克萊已超越歐

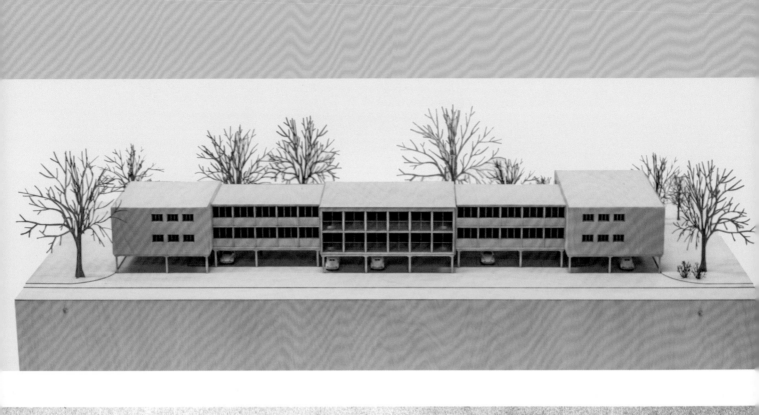

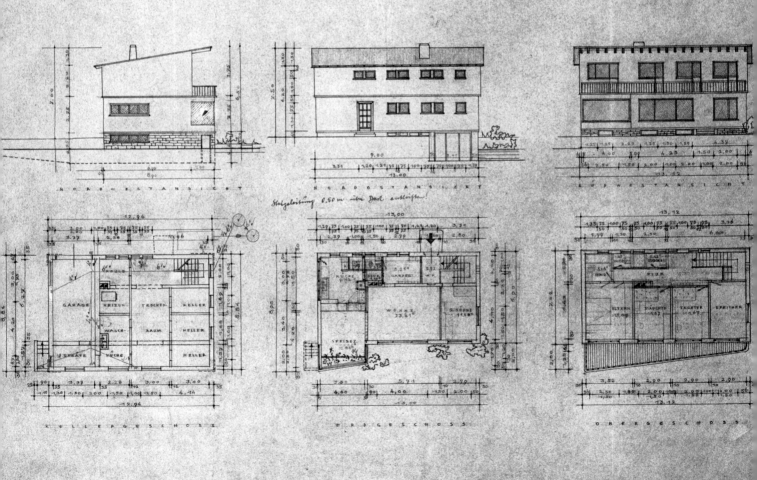

左：維拉‧邁耶-瓦爾德克為波昂-弗里斯多夫女子學生宿舍設計的再製，1962年。（依據邁耶-瓦爾德克原草圖製作的模型）

下：1955至1956年維拉‧邁耶-瓦爾德克為位於波易爾區費里茲‧波克穆爾博士住家的設計規劃。

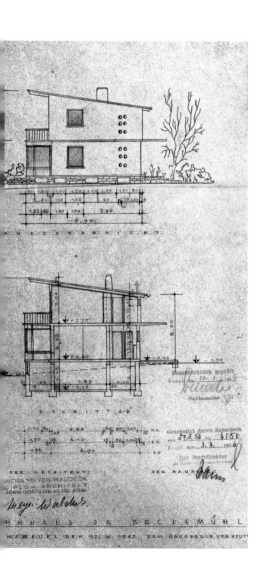

洲的大學，不只因為其建築師已發展個別獨立的風格，也因為它已成為歐洲及亞洲文化的交會點。邁耶-瓦爾德克參觀美國第一家太陽能屋，是由她也見過的建築師愛蓮娜‧雷蒙（Eleanor Raymond）與太陽能源專家瑪麗亞‧泰克斯（Maria Telkes）合作設計建造。進而影響她為波昂附近波易爾區（Beuel-Limperich）的費里茲‧波克穆爾博士（Dr. Fritz Bockemühl）寓之設計，此房子於1956年完工。因為對永續住宅及再生能源的強烈興趣，她邀請瑪麗亞‧泰克斯到德國與科學家討論太陽屋的可能性。

對於女性組織的參與度及認識無數的女性建築師與專業人士，再再證明她對開創女性人脈的愛好。1954年她成為國際婦女節前往芬蘭的德國代表團一員，邁耶-瓦爾德克報告德國建設的現況，也抓住機會取得阿爾瓦爾-愛諾‧阿爾托（Alvar-Aino Aalto）及卡伊佳-海基‧西瑞（Kaija-Heikki Siren）建築設計的第一手資訊。邁耶-瓦爾德克為極少數能加入德國建築師協會BDA（Bund Deutscher Architekten）的女性建築師。

在1957年柏林展出的國際建築博覽會中，邁耶-瓦爾德克貢獻了一間明日之城（Die Stadt von Morgen）的四合院屋。她對未來的願景是包含不同的世代及數個家庭架構組合而成。在她當代的文章中即提出對隔離的警告，像是針對大家庭、難民、單身者及老年人的住宅發展衍生出的社會及生理的隔離問題。

1962年宣布邁耶-瓦爾德克即將為波昂-弗里斯多夫（Bonn-Friesdorf）的大學女學生建造大型宿舍，還可容納學生的車。此建案與邁耶-瓦爾德克學生時期的專案有相似之處，以平頂搭配大型完美調和的窗戶，營造出精實設計樸實卻又輕鬆的樣貌。感覺像是重新開始，但這次她本身已是個大師；這似乎是她職業生涯的最高峰。不幸的是，邁耶-瓦爾德克於1964年四月二十五日過世，享年五十三歲，留下她個人最重要的作品未完成。由其他人取而代之大幅地更改她的作品之後，完成此建築。如果她完成了這棟建築，無庸置疑地會是她的專業辨識度成熟的局面開始。

路特・史丹－畢斯（Lotte Stam-Beese）

　　包浩斯的建築課程不容置疑地是男性所主宰的，但並不表示女性就沒有興趣。1928年出現第一位在德紹包浩斯這個新工作坊註冊的女性：夏洛特・畢斯（Charlotte Beese）。在通過中學考試之後，她即離開西萊西亞家鄉羅西基特（Reisicht，現今波蘭的羅基特基[Rokitki]），在十八歲的年紀接受工匠訓練，先至布列斯勞精緻暨應用藝術學院學系（the Breslau Academy of Fine and Applied Arts）學習繪畫，後至德勒斯登附近的海勒勞德國工作坊（Deutsche Werkstätte）。因為畢斯精通速記與打字，在那裡被聘為辦公室人員，但她也在紡織工作坊學習編織的基礎。從威瑪時期開始，德國工作坊就常與包浩斯有聯繫，在1926年聽過包浩斯校友極熱情的描述後，（久病初癒的）畢斯申請入學且被接受到德紹學習。

　　修完喬瑟夫・阿伯斯的基礎預備教育與瓦斯里・康定斯基和喬斯特・舒密特的課程之後，在入學建築學系之前，剛開始畢斯申請崗塔・斯托爾策爾所帶領的編織工作坊。成為漢斯・邁耶的學生後，她漸漸對邁耶的「新建築理論」產生熱情，將自己埋首於靜力學、建築材料理論、營造、熱工程及城市規劃。她參與了邁耶的示範專案，建設位於柏林附近的布勞瑙的貿易聯盟聯合學校（Allgemeiner Deutscher Gewerkschaftsbund, ADGB），特別銘記著邁耶社會人道主義的箴言：「重要的是人們的需求而非追求奢侈。」畢斯與大十四歲的邁耶發展出一段不尋常關係，即使在如此寬容的機構也不能容許的外遇關係。身為他人丈夫及兩個小孩的父親，邁耶擔心職位不保，因此說服愛人在1929年春天離開學校，轉往他的柏林辦公室執行ADGB建築專案。但此事進行得並不順利，而她也無法輕易找到其他的工作。舉例來說，她曾應徵奧圖・海斯勒在策勒的建築事務所，但被前包浩斯學生沃爾特・特拉勞（Walter Tralau）拒絕，因為他「不想跟女士一起工作。」

　　然而，後來她跟隨革新社會經濟學家奧圖・紐拉特（Otto Neurath），且在位於維也納新開的社會經濟博物館（Gesellschafts-und Wirtschaftsmuseum），為他的信息圖形統計（後被稱為Isotype）學習設計製圖。儘管她能對建築教學有幫助，邁耶仍不允許她回到包浩斯。她反而先轉到柏林的胡戈・哈林（Hugo

生： 夏洛特・畢斯，1903年一月二十八日，羅西基特，德國（現今波蘭羅基特基）。

卒： 1988年十一月十八日，艾瑟爾河畔克林彭（Krimpen aan den Ijssel），荷蘭。

加入包浩斯： 1928年。

居住地： 德國、波蘭、奧地利、捷克斯洛伐克（現今捷克共和國）、蘇聯、荷蘭。

右上：製圖桌前的路特・畢斯，德紹包浩斯，約1928年。

右：路特・史丹-畢斯（建築師），美術館建築外兒童玩耍的街道，潘德瑞基特（Pendrecht），1963年。

Häring）的建築師事務所，進而到位於捷克布爾諾的博胡斯拉夫‧福斯（Bohuslav Fuchs）事務所擔任建築設計師，專責大型現代化的案子。直到邁耶被包浩斯開除，移居到莫斯科後，兩人才再重聚。然而他們沒辦法以愛人及職業夥伴的關係繼續生活；因為失業又懷著他們的兒子（1931年出生的彼得），畢斯回到布爾諾，在那裡加入捷克共產黨和左翼文化機構。在短暫停留之後，她不再覺得安心而決定回到社會主義國家，這次是到烏克蘭。在卡爾可夫（Kharkiv），她參與了著名的工人城市建設案，位置圍繞著一間新的牽引式飛機的工廠。

在卡爾可夫，她遇見了之前包浩斯的客座講師，荷蘭建築師馬特‧史丹（Mart Stam），當時他與恩斯特‧梅（Ernst May）——法蘭克福的都市規劃暨建築管控辦公室的主任及「新法蘭克福」專案負責人——所帶領的「梅旅」來到蘇聯。他們倆人發展出相當緊密的合作關係，促成畢斯也加入梅旅，執行奧倫堡州（Orenburg Oblast）奧爾斯克（Orsk）的城市重建。1934年她與史丹回到荷蘭，在阿姆斯特丹一同設立史丹 & 畢斯建築事務所（Stam en Beese Architecten in Amsterdam）；她主要負責內部建築、攝影及廣告藝術。與史丹一樣，她加入革新建築師協會「八」，且為其出版物《八與建築》（de 8 en opbouw）撰寫文章。那時史丹與她已經結婚且在1935年迎來女兒阿麗亞娜，但在史丹外遇後，兩人於1943年離婚。

1940年，史丹-畢斯回到阿姆斯特丹的建築學院修課，終於取得正式學位。她於1945年收到學位證書，而後擔任鹿特丹都市發展局的城市規劃師與建築師長達二十二年的時間。成為第一位管理此部門的德國女性，她協助戰時被她的祖國人摧毀之城市的重建。她特別投身於社會住宅。在1955年，她擢升為首席建築師，於退休後一年（1969年），還獲頒荷蘭的奧蘭治-拿騷騎士勳章（Knight of the Order of Orange-Nassau）。在包浩斯所受的教育，與在蘇聯經歷的困苦生活，皆影響她一輩子，促使她持續對公正的社會住宅付出貢獻。

艾特·米塔－佛多（Etel Mittag-Fodor）

在七十五歲時，艾特·米塔-佛多（Etel Mittag-Fodor）決定著手寫下她的回憶錄，但她無法預知老天多給她二十五年實現個人抱負，讓她多享受子孫滿堂。儘管自傳未完成，直到死後才出版，但她仍為子孫留下百年歲月的生活故事，也提供瞭解德紹包浩斯日常生活的關鍵資源。如果伊斯·格羅佩斯在日記裡是記述領導階層鳥瞰包浩斯的點滴，那麼米塔-佛多幾乎就像在回應一般，提供由下往上的觀點；在詭譎多變的氛圍中以年輕學子的觀點，深信著會有更好的未來，並藉由他們的貢獻能讓世界變成更好的地方。雖然她的名字往往與這重要的年代記聯想在一起，身為攝影師，她也貢獻一些深刻描述包浩斯生活的快照。她酷愛攝影，而沃爾特·彼得漢斯（Walter Peterhans）管理的工作坊長久以來就是她最珍愛的家，直到她與工作坊主任發生爭執離開包浩斯為止。

身為奧匈帝國高階郵政官員的女兒，佛多在布達佩斯度過童年，向她的保母學習德文。青少年時期，她就喜愛繪畫及書中插圖，也會為她母親設計刺繡圖案。在通過高中考試及完成義大利的修學旅行之後，她上了知名新藝術運動藝術家阿爾莫什·亞席克（Álmos Jaschik）的私人繪畫課，而後錄取維也納聯邦平面設計訓練暨研究學院。在1925年她申請到獎學金，註冊攝影和商業藝術系，同時在房東女兒的攝影工作室兼差工作。雖然她在裝飾用布料上的設計較為成功，也因此贏得幾項小型工業競賽，甚至有布料工廠邀請她擔任印花布料設計師。她反而決定申請萊比錫的平面設計與書籍設計學院，於1928年九月，她被准許試讀一學期。然而當她偶然遇見父親商業夥伴的兒子時（一位包浩斯學生），她的生命發生預料之外的變化，這位友人說服她轉學到附近但卻更加現代的包浩斯學校。

佛多註冊包浩斯1928–1929年春季班，一到那邊，就被開放的氣氛及教授與學生間和諧的共存感所深深吸引。即使她仍對紡織布料充滿興趣，織布機吸引著她，但修完喬瑟夫·阿伯斯的基礎預備教育之後，她選擇其他工作坊，因為只有女性在編織工作坊中工作。「要有女性朋友並不容易，因為妳很快就會被懷疑是否為女同性戀。這是其中一個理由，雖然我仍被這項工藝

生：艾特·佛多，1905年十二月二十八日，扎格瑞布，奧匈帝國（現今克羅埃西亞）。

卒：2005年八月十三日，溫貝格，開普敦，南非。

加入包浩斯：1928年。

居住地：奧匈帝國、德國、南非。

上：艾特·米塔-佛多，1928年。

右：艾特·米塔-佛多，亞伯特·門特爾（Albert Mentzel）和洛特·羅斯曲德（Lotte Rothschild），約1930年。

最右：艾特·米塔-佛多所攝恩斯特·米塔睡相，1930年。

吸引，這次我不想傻傻地考慮進入編織工作坊。」她反而註冊印刷工作坊，相反地，她是唯一的女性。

家裡定期寄來的關懷包裹是佛多受同學歡迎的原因之一：大量的鵝肝是開啟她與同校友恩斯特·米塔（Ernst Mittag）友誼的關鍵，最後她與米塔在1930年結婚。「到學期末我已經被恩斯特深深吸引，他是一個極佳的伴侶，尤其與我的身體比起來，他相當有體力。」這一對後來被稱為有一段「開放的關係」，相互的寬容成為婚姻能持續五十年的基礎。而就是米塔把她帶入包浩斯左翼學生團體，在這間藝術學校內公開反對過度獨裁的結構。

曾被她形容是「難搞的人，具有喜怒不定、無法預測的神經質傾向」的攝影工作坊主任彼得漢斯，指控她盜用非她拍攝的照片。根據她的說法，為了替自己辯護，她邀請教授及學生代表，向他們展示自己的作

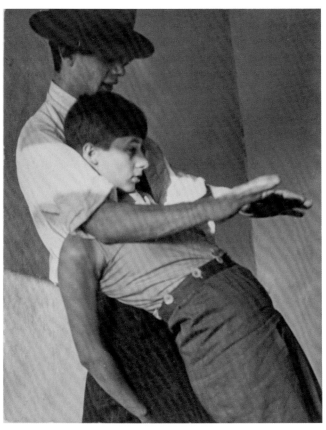

品。雖然她在這場糾紛中佔了上風，仍在1930年四月離開包浩斯。其雙親早先就已致電給她希望她回家，期望她能靠自己謀生。而在與米塔結婚後，她曾在1932年短暫回到德紹當旁聽生。同時也為知名的共產黨畫刊雜誌威利·明岑貝格 (Willi Münzenber) 的《工人畫報》(Arbeiter-Illustrierte-Zeitung，AIZ) 製作專題攝影，在莫斯科等地，記錄前包浩斯校長漢斯·邁耶的團隊。

1933年兩夫妻開始參與反法西斯抗爭運動，持續受到被逮捕的威脅。身為羅馬天主教徒，米塔-佛多被掌權者宣布因為其猶太血統，不受天主教歡迎，並被剝奪所有就業的機會。她的建築師丈夫，卻總能在納粹德國蓬勃發展的建築業找到工作。1938年在他們第一個兒子湯瑪斯出生之後，兩夫妻決定移民南非，在那裏米塔-佛多剛開始還能找到攝影的工作。但隨著戰爭爆發，攝影作品量被限縮，緊迫的財務壓力迫使她賣掉暗房設備。其後，米塔-佛多在南非的審查署從事翻譯員的工作，直到第二個兒子麥克於1940年出生，在那之後就一直在丈夫的建築事務所幫忙。在1950年代，她開始販售自家農場種植的葡萄所釀造的葡萄酒，而在1964年重拾對編織的熱情。她加入鄰近的法蘭克·茹貝爾藝術中心 (Frank Joubert Art Center) 成為國家編織指導協會 (the National Guild of Weaving) 的一員，在那裏教授「創意紡織料」課程。她的壁掛作品在1984年的專題展中第一次展出，但她並未將這些作品賣出，反而是送給家人朋友當禮物。

即使到了老年，這對夫妻從未停止為更好更公平的世界努力；米塔-佛多自願到一間照護智能障礙者的猶太機構，指導其編織工作坊，夫妻倆也支持反種族隔離運動。因為米塔仍是共產黨員，他們被控管禁止旅遊多年，且不能被給予簽證。米塔-佛多於1928年拍攝的左輪手槍與方糖靜物照，可視為她一生故事的象徵。身為包浩斯壽命最長的學生之一，她的故事自始至終都有恐嚇及迫害的線牽引著，但同時也具有玩樂、創造性及諷刺的觀點；可以被視為是其藝術天分因歷史的陰霾與配偶的職業生涯下被埋沒的典型代表。

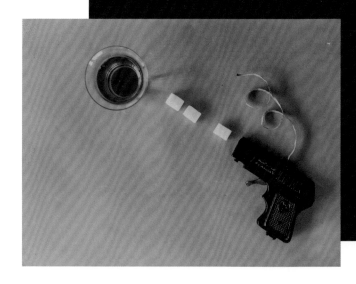

艾特·米塔-佛多，未命名，玩具左輪手槍、方糖與玻璃杯的靜物攝影，1928年。

卡拉．葛羅許 (Karla Grosch)

卡拉．葛羅許 (Karla Grosch) 以獨一無二的方式將「典型包浩斯女孩」具體化。1930年她的笑容出現在受歡迎的新聞畫報《周報》(Die Woche) 頭版，使整份周報增色不少，此篇文章特別介紹包浩斯為「想學東西的女子」所建立的教育制度。說也奇怪，事實上葛羅許並不符合如此情況：她是少數到包浩斯工作而非學習的年輕女性之一，事實上她是體育和體操老師。她曾如此形容自己：「想成就大事的抱負，很不幸地恰恰是我缺少的。」與其他包浩斯人相比，葛羅許的生命以悲劇轉折收場，甚至無法度過她的三十歲生日，她於1933年春天在巴勒斯坦海岸游泳時溺斃，肚子裡還懷著未出世的小孩。

卡拉．葛羅許在1904年出生於威瑪，雖然在包浩斯學校的誕生地長大，她對於美術教育卻不感興趣。反而前往德勒斯登學習，成為與她年紀差不多的葛瑞特．帕魯卡 (Gret Palucca) 第一批女性學生之一，學習當時最重要的舞蹈類型。身為瑪麗．魏格曼 (Mary Wigman) 的學生，帕魯卡相當推崇表現主義舞蹈，在1925年開了自己的工作室，而且在包浩斯教授中頗富盛譽。最早在1926年，康定斯基曾在兩篇文章中讚賞她的作品，也在自己的書《點、線、到平面》(Punkt und Linie zu Fläche) 中刊登她跳躍空中的照片；隔年，莫歐尼-那基看過她在德紹包浩斯的表演後就滔滔不絕地討論著。一張由菲立克斯．克利 (Felix Klee) 在1927年的嘉賓演出中所拍的照片被保存下來，照片中有菲立克斯、保羅與莉莉．克利 (Lily Klee)、帕魯卡及陪著她的葛羅許。

生：1904年六月一日，威瑪，德國。

卒：1933年五月八日，特拉維夫，雅法，巴勒斯坦 (現今以色列)。

聘僱於包浩斯：受聘為包浩斯女子體操及運動課程老師，德紹，1928-1932年。

居住地：德國、巴勒斯坦。

右：卡拉．葛羅許和艾興格爾「波比」，1930年代。

因此，當在尋找指導體育與體操課程的老師時，包浩斯選擇了帕魯卡的這位學生一點也不足為奇，因為她對於此學校及其教學方法已經熟悉，且喜愛將體能發揮至極致。「從控制自己的身體中，我得到最純真的樂趣，如何挑戰身體極限，身體如何彎曲、如何活動，我完全迷失在挑戰身體的能耐之中。」她曾這麼寫道。葛羅許於1928年春季班開始任職，正巧是沃爾特·格羅佩斯離開包浩斯的時間。然而可以推測葛羅許的聘雇仍是在他指示下所決定的；在包浩斯有這樣的課程其實是個傳統，可回溯到學校初創時期，尤其是葛敦·葛爾諾以和諧理論為基礎的舞蹈導向的節奏課程。十年之後，一切都大大地改變了：在著迷健身的威瑪社會，體能鍛鍊成為關注焦點。在葛羅許的課也是如此，但將重心轉移到體操動作。在1930年勒克斯·費寧格（T. Lux Feininger）於德紹包浩斯屋頂所拍的一系列照片中，顯現經典體操運動與課程中對體育活動的重視。在相片中的學生皆為女性，此為特意安排的單一性別體育指導。

葛羅許與編織教授崗塔·斯托爾策爾及金屬工作坊的瑪麗安·白蘭帝，並列為包浩斯少數女性老師之一，也參與戲劇課的舞蹈表演。最著名的例子是在奧斯卡·史勒姆所執導的物質舞蹈（Materialtänze），1929年在柏林的人民劇院（Volksbühne theater）客串演出中第一次登場。葛羅許參與金屬之舞及玻璃之舞的詮釋，在表演時，前半段穿上閃亮鋼鐵舞衣，但在後半段，將她的頭擠進透明的球體中。舞衣的反光元素和戲劇性的燈光設計與葛羅許的身體融合成新客觀主義要素，成為科技進步的代表性作品。1929年發行的包浩斯雜誌中，為向離開的史勒姆致意，挑選了兩張照片以展示舞者將理想的具體化。身為受過訓練的舞者，葛羅許的資質是一般包浩斯學生所望塵莫及，毫無疑問地是劇團中最有價值的舞者。她不僅實現史勒姆的願景，也參與編

左上：於包浩斯帕魯卡表演場的團體照。從左到右：保羅和莉莉·克利、葛瑞特·帕魯卡、赫伯特·特蘭托（Herbert Trantow）、卡拉·葛羅許。菲立克斯·克利拍攝，1927年。

上：卡拉·葛羅許於德紹包浩斯屋頂所教授的女子體操，1930年。勒克斯·費寧格拍攝。

「從控制自己的身體中，我得到最純真的樂趣，如何挑戰身體極限，身體如何彎曲、如何活動，我完全迷失在挑戰身體的能耐之中。」

卡拉‧葛羅許。

舞，但不知涉入的程度有多深，可確定的是在編舞方面必定有所貢獻。

她在包浩斯工作直到1932年，期間她的名字也出現在沃爾特‧彼得漢斯攝影課的學生名單中，卻沒有跡象顯示她以攝影師的身分活躍過（但她的確有一台私人相機拍照）。然而，她是相當受歡迎的攝影題材：擁有年輕又充滿活力的魅力，時尚的短髮，穠纖合度的體格，展現當代美的標準，非常適合擔任年輕包浩斯人的形象榜樣。如此一來，她代表的是當代「新女性」個特定的類型，有謀生能力的成功職業婦女，不需要藉由建立新家庭來依靠丈夫。

然而，她非常渴望有個伴侶和小孩，曾經在信中寫道這是「完整我的生命的最後一部份」。她與克利家庭有相當緊密的連結，他們甚至在1928至1930年提供一間德紹教授宿舍內的房間給這位年輕體育老師。莉莉將葛羅許當作女兒，保羅對她的貓咪賓博（Bimbo）有極深的情感，而葛羅許與他們的兒子菲立克斯有一段短暫的羅曼史。她常與保羅一家人一起度假，甚至在葛羅許的母親於1931年驟逝時這家人還想領養她。即便在保羅一家人離開德紹之後，他們的情誼依舊不變。此外她與德紹弗里德里西劇院（the Friedrich Theater Dessau）管理階層，大她十七歲的馬克斯‧維爾納‧冷次（Max Werner Lenz）有相當親密的關係。多封被保存下來的信件顯現兩人的親密情感；葛羅許在其中一封中寫道：「我們之間有奇妙的事情發生──或者是從你身上散發出來，而我能夠共享──不管是什麼：我們之間有奇妙的事情發生。」甚至連莉莉和保羅‧克利都敞開心房歡迎冷次。根據其子菲立克斯的回憶，他們倆是熱衷的劇迷，而且特別喜歡去弗里德里西劇院，在那裡冷次被升為資深總監，且完全負責劇場的藝術演出部分。而對冷次而言，他對保羅‧克利的藝術作品深受感動，也被莉莉‧克利所提供的溫情感動，甚至在冷次和葛羅許分開後仍保持頻繁聯繫。

在寫給冷次的信中，莉莉‧克利將這位年輕的舞蹈老師形容為「親切的明日之星」、「迷人、天性快活的人；心智成熟的個人，卻又帶有深度情感」，尤其願意付出並體驗愛和喜樂。「充滿魅力及

仁慈，富有藝術天分，帶有可依賴誠實的性格，如此
圓滑，享受人生樂趣，擁有活力四射的爽朗性格。」
對卡拉・葛羅許而言，冷次成為她「不再有興趣活下
去時」厭世時能共享世間痛苦的知己，從冷次那邊得
到理解及撫慰，使她最終能獲得他人所欣賞的自信與
力量。「你的愛支撐著我，帶我度過痛苦達成平靜安
詳。如此一來，我們是需要彼此的，我很感激你的存
在，就像你感恩我的出現一般。我們能持續幫助彼
此。」然而儘管冷次的愛毫無保留，葛羅許仍把它視
為一段「理智純潔的愛」，因為她仍無法完全對他敞
開心懷，溫柔卻讓她不自在。而在1931年春天，他
們的關係畫上句點。「是的，冷次，我從未說過我愛
你……我們的靈魂是相連的，但我們也有軀體，無法
否認軀體的存在，它們是一體的。」她告訴他仍持續
愛著一個曾想要他的小孩的男人——一個讓她失望的

上：戴著奧斯卡・史勒姆所製作玻璃面具
的卡拉・葛羅許，1929年。勒克斯・費寧
格拍攝。

右：卡拉・葛羅許，玻璃之舞，1929年。
勒克斯・費寧格拍攝。

「在我們的友誼沉入海底
之前，似乎能到達另一個
高峰。」

莉莉·克利。

男人。在1930年十二月十四日葛羅許所寫的信中一段，解釋與這位年紀較長男人的發展優柔寡斷的原因：

「（我發現我自己）身為女人，我出生的太晚了。我認為性一點都不必要，但卻總是與生小孩這件事綁在一起，卻沒人那麼吸引我。不幸的是，或者是該感謝上帝，我一點也不懂舞蹈學校常有的墮落；對這些事我只是太過正常，而且只依我想要的自由發展——當人們不想相信我離這些事很遠的時候，我甚至覺得自己有點可笑，但我知道這早晚到來。而在我終於有過這樣的經驗後，我不認為情況有好轉，然後當它越來越到達極致時，你會覺得好像要融化一般。現在也許是因為害怕失望而讓我關上心扉。我告訴自己繼續抓住消失中的鬼魂是很可笑的，但每當我想起時，這感覺就狂嘯而來，彷彿歷歷在目。我就是沒辦法擺脫它。」

葛羅許的坦白傷了冷次。在一封未寄出的信中提到，冷次與現實拉鋸著，顯然地，他的「性能力並不足以喚醒一個女人願意去愛。」最終，葛羅許與包浩斯奧地利籍學生法蘭茲·喬瑟夫·艾興格爾「波比」(Franz Josef "Boby" Aichinger) 談起了戀愛，他比葛羅許小五歲（比冷次小二十二歲），是在1931年秋天開始在德紹就讀。就在幾個月之後，葛羅許就被介紹給他的家人，且兩人一起在他父母家迎接新年；至於波比，他也同樣受到克利一家人的疼愛。1932年見證包浩斯關閉，以及德國境內與日漸增的政治激進，葛羅許注意到納粹對於弗里德里西劇院的影響。因此身為猶太後裔的葛羅許，與建築系學生艾興格爾決定盡早移民到巴勒斯坦，特拉維夫的建設工程也提供就業機會。他們計畫在新家結婚共創新生活。在1933年四月，葛羅許終於懷了她期盼已久的小孩，在她離開前，於德紹和克利家庭最後一次相聚。保羅將貓咪賓博帶回伯恩，莉莉後來曾寫道：「在我們的友誼沉入海底之前，似乎能到達另一個高峰。」

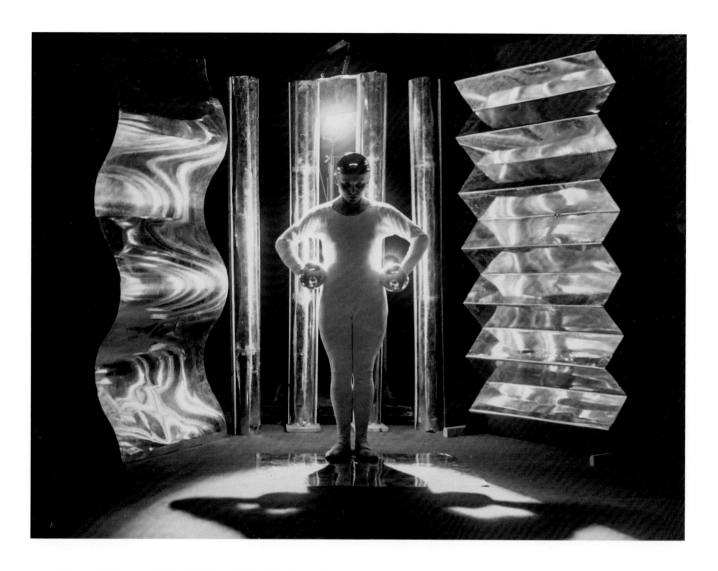

上：卡拉・葛羅許，金屬之舞，約1929年。勒克斯・費寧格拍攝。

　　兩人在四月十六日登機離開，但不久後的五月八日，卡拉・葛羅許在特拉維夫海岸游泳時心臟停止。一陣大浪要將她捲走，艾興格爾緊抓住她，她才能被帶上救生船，醫生注射了兩劑強心針，卻完全無用。當時失去意識的艾興格爾，醒來回到海灘後才得知伴侶已死亡。隔日，葛羅許被葬在特拉維夫附近薩羅納（Sarona）的德國墓園中。喪親的家人推測如果葛羅許沒有懷孕的話，應該可以存活下來。艾興格爾其後立刻回到德國，與葛羅許的妹妹寶菈・朵拉・莉娜（Paula Dora Lina，或被叫「珠」[Ju]）見面，當時她已完全獨立自主。兩人之後結婚，在葛羅許家族位於威瑪的家裡生活了幾年，而後搬回艾興格爾的出生地奧地利。

瑪嘉烈・雷特麗茲 (Margaret Leiteritz)

　　她或許是創造出最多非比尋常畫作的包浩斯成員：三十九幅科學圖表，其抽象結構轉化成帶有令人注目的明晰彩色油畫，構成了這位說話溫柔的德紹畢業生，瑪嘉烈・雷特麗茲（Margaret Leiteritz）的鉅作。畢業之後，她只偶爾以藝術家身分活動。她覺得她的天職是在這個充滿結構與秩序的世界中，當一位稱職的圖書館員——講究品質也是她簡樸氣質的特色之一。直到她的畫作《左邊的交叉》（Kreuzung am linken Rand）於1968年的國際包浩斯導覽展中展出，並被刊登在美國芝加哥分部的廣告上之後，她才享有些許名聲。

　　身為來自德勒斯登的新藝術運動畫家的女兒，瑪嘉烈・卡蜜拉・雷特麗茲（Margaret Camilla Leiteritz）與生俱有繪畫天賦。然而，在八歲時她就失去父親，中學畢業之後，她擔任萊比錫圖書館的學徒。做為擁有合格證書的圖書館員，她在德勒斯登的州立應用藝術學院（Kunstgewerbebibliothek）圖書館找到工作，同時也在赫赫有名的瑪麗・魏格曼學校學舞。隔年她得以進入德紹包浩斯，研修基礎預備教育課程；她的同學漢斯・費奇里（Hans Fischli）曾形容她是具有斯拉夫人外表的含蓄年輕女性、帶有雀斑與短捲髮，性格含蓄卻擁有高智商及談吐不凡。她在接下來的學期註冊壁飾工作坊，也修了保羅・克利與瓦斯里・康定斯基的課，後者的繪畫分析課對她有潛移默化的影響。1929年，她與費奇里參與德紹的特爾騰住宅區（Dessau-Törten Housing Estate）兩間模型屋的內部與外部繪畫，後於卡塞爾國立劇院（Staatstheater Kassel）的畫廊度過實習學期。但她卻是透過參加壁紙競賽，在其中贏得幾項獎之後，才在包浩斯變得有名；隨後她被選為羅序（Rasch）壁紙工廠的學校代表，監督生產與顏色挑選。

右：瑪嘉烈・雷特麗茲，1932年。

生：1907年四月十九日，德勒斯登，
　　德國。

卒：1976年四月六日，卡爾斯魯爾，
　　德國。

加入包浩斯：1928年。

居住地：德國、波蘭。

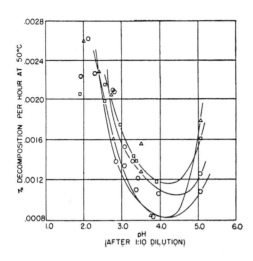

右：瑪嘉烈·雷特麗茲，四條懸垂線的原稿圖表，1949年。

下：瑪嘉烈·雷特麗茲，週二曲線（Dienstagskurve），1966年，取自繪圖圖表（Gemalte Diagramme）系列。

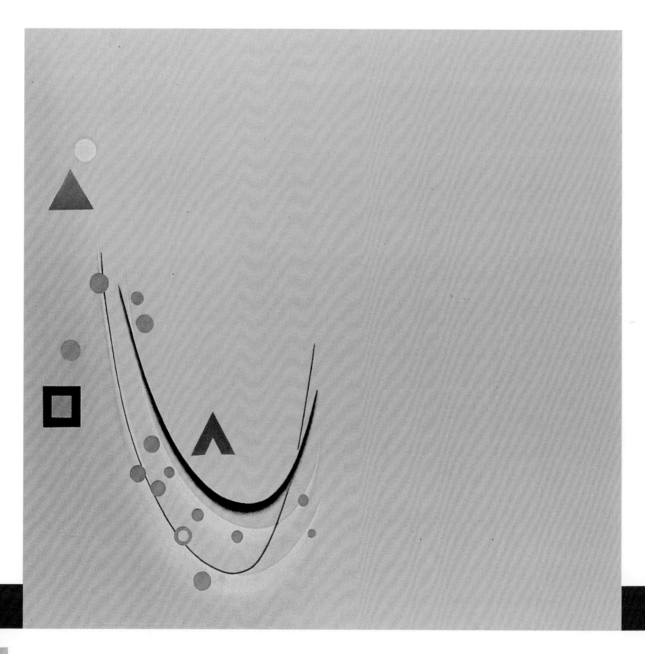

1931年五月，她收到包浩斯第四十三號文憑；除了校長密斯·凡德羅之外，壁飾工作坊的主任希納克·薛佩爾（Hinnerk Scheper），克利與康定斯基也證實她在繪畫課程的出席。因此，雷特麗茲成為少數女性「包浩斯年輕畫家」（Junge Bauhausmaler）之一，其他包浩斯人如此稱呼此視覺藝術家的團體。但她在離開包浩斯後卻失業一整年，於1933年她回歸到之前的工作地點，德勒斯登的州立應用藝術學院圖書館，再次成為圖書館員，第一年卻是無報酬的。這個工作一直持續到納粹德國瓦解，在戰爭的最後幾個月，德勒斯登被破壞後，她與母親被疏散到吉爾斯道夫（Giersdorf）的村莊，地處西萊西亞布列斯勞附近（現今波蘭波德古珍 [Podgórzyn]）。然而於1946年再次被迫搬遷，但她重拾自己的創作才能，在德國哈次（Harz）山區的蓋布哈茨哈根（Gebhardshagen）開始從事設計師的工作。1950到1952年間，她任職於烏帕塔-巴爾門（Wuppertal-Barmen）的柯特·赫伯特斯（Kurt Herberts）博士公司的亮光漆工廠，管理漆原料部門並監督圖書館及藝術收藏——在戰時，就是這間公司短暫保護及聘雇過曾被實施專業禁令的前包浩斯教授奧斯卡·史勒姆和喬治·莫奇兩人。

　　結果這只是個藝術插曲，雷特麗茲搬到卡爾斯魯爾（Karlsruhe），直到1972年退休為止，她在卡爾斯魯爾科技學院擔任圖書館員長達二十年時間，此學院專門研究瓦斯技術、燃燒技術與水科技；儘管她的學校友人邁克斯·比爾曾邀請她到烏姆設計學校的圖書館工作。在卡爾斯魯爾任職期間，她身旁都是自然科學出版物，被其製圖風格所激勵，她自創繪圖圖表（Gemalte Diagramme）。堅持盡可能要與黑白原稿吻合——她甚至記錄每一幅油畫的來源出處書目，就好像要驗證它們的有效性一般——她追求和諧的色彩組合，將此活潑的幾何結構轉化為流動的、幾乎是抽象的光源體現出現在結構之中。就在她六十九歲生日前不久，雷特麗茲死於無法治癒的癌症，留下未完成的第四十幅油畫。在卡爾斯魯爾只有極少數同事知道這位沉默害羞同事的創作野心。

愛笛斯・圖都－哈特（Edith Tudor-Hart）

觀賞她1931年拍攝的「普拉特摩天輪」照片，不禁讓人聯想愛笛斯・圖都-哈特（Edith Tudor-Hart）——當時她所使用的名字仍是愛笛斯・蘇哲斯基（Edith Suschitzky）——一定是拉士羅・莫歐尼-那基的包浩斯學生。從鋼鐵組成的格子窗看出去，從上看的到下方極小的咖啡桌及遠方的現代化休閒空間，似乎是在威尼斯重現三年前莫歐尼-那基的柏林電台塔照片一般。但事實上莫歐尼-那基在蘇哲斯基1929年秋天入學前就已離開包浩斯。但她仍然從其他老師的教學、莫歐尼的書與1930年維也納FiFo（Film und Foto，工藝聯盟的電影暨攝影展）中偶然看見他的作品。圖都-哈特顯然對都市建設與現代科技極有興趣，她所遺留下來強而有力的攝影傑作則是完全不同的故事：善於捕捉人性展現的同理心與優雅，以及最重要的捕捉小孩的神韻。對愛笛斯・圖都-哈特而言，身為一名英國重要的攝影師，同時是蘇聯秘密機構KGB的間諜，藝術與政治幾乎總是連結在一起。然而關於愛笛斯・圖都-哈特作品的知識與紀錄卻是拼湊而來的。鄧肯・佛必斯（Duncan Forbes）與彼得・史蒂芬・容克（Peter Stephan Jungk）做了相當多研究，才能將她的作品與生活呈現到廣泛大眾面前。

愛笛斯・蘇哲斯基在維也納勞工階級區法沃里滕長大。第一次世界大戰時雖然仍是個孩子，但年紀夠大，已能了解戰爭的衝擊，也能在戰後一段時間內，從區域內正面的集體響應受益；她是從法沃里滕送去瑞典與果農同住的小孩之一，以使他們重獲健康及體力。1924年，她開始在法沃里滕的蒙特梭利幼兒園從事不給薪的工作，因此培養高度政治化的左翼背景。1925年春天在十六歲的年紀，蘇哲斯基被送到倫敦上三個月的蒙特梭利課程，這是她第一次造訪這國家，之後卻成為她永久的家。並不清楚她在什麼時候成為共產黨員，但佛必斯找到紀錄顯示她在1927年為英國共產黨員貝蒂・格雷（Betty Gray）工作，進而推測在當時她已經正式或非正式地與奧地利共產黨（KPÖ）有連結。

1929年蘇哲斯基抵達巴黎與倫敦，可能是為了執行間諜任務，從事祕密激進行動，同年稍晚她加入德紹包浩斯。進入秋季班學生編號為三八五，她

生：愛笛斯・蘇哲斯基，1908年
　　八月二十八日，維也納，奧
　　匈帝國（現今奧地利）。

卒：1973年五月十二日，布萊頓，
　　英國。

加入包浩斯：1928年。

居住地：奧地利、瑞典、德國、
　　法國、義大利、英國。

最上：愛笛斯·圖都-哈特，獨照，倫敦，約1936年。

上：愛笛斯·圖都-哈特，「普拉特摩天輪」，維也納，約1931年。

待到1930年春天完成基礎預備教育課程。根據1930年五月二十二日漢斯·邁耶所簽署的證書上陳述她完成包含藝術設計、材料與工藝訓練（實踐工作坊）、化學、數學/幾何具象、字體/黑體字（schrift）、和裸體藝術等初級課程。雖然在課堂成績中並未提及，蘇哲斯基必定是那參與共產主義大學支部（KoStuFra）的百分之十的學生之一。接下來的學期她並未以學生身分註冊，反而成為沃爾特·彼得漢斯攝影工作室的「練習生」（Hospitant）。她的弟弟沃夫岡·蘇哲斯基（Wolfgang Suschitzky）如此回憶道她的包浩斯時期：「愛笛斯決定要到沃爾特·彼得漢斯底下專攻攝影。這成為她生命中最重要的決定之一，因為直到生命尾聲她仍在攝影。」其最早作品可追溯至1930年，再次證明她最有可能在包浩斯學習此技能。

她離開後不到一年，1931年三月，蘇哲斯基在商業藝術雜誌中一篇關於包浩斯的文章中強調學校的構成主義與社會導向。「眾所認可對『天賦』過度偏執是在浪費時間，我們這時代的表達方式與十九世紀時已完全不同，無可否認地，影片比繪畫更能捉住大眾目光，舞蹈及戲劇正朝向集體主義，重要的不再只有『明星』而是整體。」確實就是這整體（集合體）似乎最常吸引她的注意。用雙眼中幅祿萊（Rolleiflex）相機拍照時，蘇哲斯基總是把相機拿在胸部的高度，由上往下構圖其相片，而非將相機舉至臉部拍照，她有更多的機會展現同理心並與拍攝對象做交流。

到了1930年早期，蘇哲斯基已被俄羅斯國家通訊社（TASS）聘為攝影記者。即便蘇哲斯基開始在一系列的奧地利與德國主流報紙及左翼報紙中發表作品，她仍持續著政治工作。1933年五月時值二十四歲年紀，她為奧地利共產黨進行祕密情報的工作曝光，第一次被逮捕。當時她在父母家，警察沒收大量的攝影照片，包含近期在維也納奧地利共產黨的示威照片。她從監獄中被釋放後，於1933年八月與英國醫師也是激進行動夥伴亞歷山大·圖都-哈特（Alexander Tudor-Hart）結婚，條件是他們要在同年十月前離開維也納。當他們在十月前往英國時，警方歸還部分底片；其餘的底片在1930年代晚期，其檔案室爆滿時被摧毀。

在倫敦，愛笛斯·圖都-哈特透過熱衷包浩斯的設計師傑克·普雷加德（Jack Pritchard）仍能獲得商業工作。

左：愛笛斯．圖都-哈特，「紫外線治療，南倫敦婦幼醫院」，約1935年。

右：小人國，1939年四月號。愛笛斯．圖都-哈特攝影：剪毛營業所，倫敦，約1937年，和吉街（Gee Street），芬斯伯里（Finsbury），倫敦，約1936年。

其中一個商業專案中，她與同樣來自包浩斯的攝影師葛雷特．史特恩（Grete Stern）合作，當時葛雷特流亡到倫敦，他們共同拍攝南倫敦婦幼醫院的簡冊。圖都-哈特為這專案所拍的一張照片中，有兩位護士正在照料六位接受紫外線治療法的學步兒童。像是未來主義的小天使一般，這些孩童赤裸著身體但穿著鞋子與戴著護目鏡。歷史學家塔尼亞．安．威羅西恩（Tania Anne Woloshyn）指出圖都-哈特的照片美麗卻怪異恐怖；這是一項技術創舉，因為從電弧燈的明火放射出來的直接輻射會毀掉照片。攝影師讓自己處在男孩後方以阻擋直射燈光，如此視角讓他成為照片的中心。其雙手張開以接收光線的姿勢，與站著的護士及其他小孩相呼應，也許像玩飛機的姿勢；但這樣的姿勢也像耶穌基督。

圖都-哈特的兒子湯米（Tommy）於1936年出生，當她丈夫擔任西班牙內戰時的外科醫師時，她就成為奧地利難民大家庭的唯一供養人，很難靠攝影讓收支平衡，但她仍堅持不懈。藝術

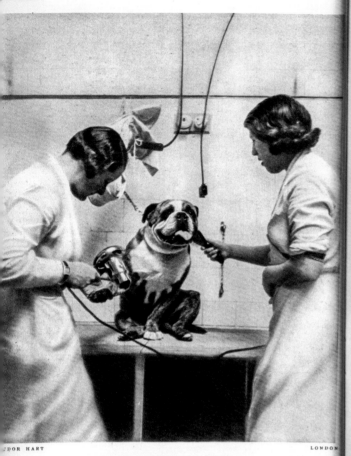

SHOULD WE HAVE THIS?
A beauty parlour for dogs
426

MUST WE HAVE THIS?
A London Slum
427

及娛樂月刊《小人國》(*Lilliput*)刊出兩張其藉由對比照片所做的評論:有錢人不惜重金花在寵物上,但窮苦家庭卻擠在貧民窟中。

　　1950年圖都-哈特替英國教育部拍攝了一個特別系列的照片,分為兩卷《移動與成長》(*Moving and Growing*)出版。她捕捉到孩童在操作與遊戲時的專注、不自覺散發出美麗的影像。

　　1950年代或許是圖都-哈特生命中最艱困的幾年。因為其間諜圈中許多人不是被發現就是被查出與蘇聯連結,她持續受到監控且頻繁被MI5審問。她的兒子湯米的心理狀況惡化,且必須被收容。她無法再靠攝影工作存活,於是離開這職業,先在倫敦後到布萊頓當骨董商謀生。愛笛斯·圖都-哈特沒再去過蘇聯,但她從事間諜工作幾十年間留下的豐富紀錄,據信被保存在莫斯科蘇聯國家安全委員會(KGB)的資料庫中。儘管研究者試圖看這些資料,卻仍無法取得。

凡那‧湯真諾維奇 (Ivana Tomljenović)

包浩斯人、時尚打扮、運動冠軍、有錢的女孩卻變成帶有革命精神的間諜，南斯拉夫藝術家凡那‧湯真諾維奇 (Ivana Tomljenović) 的一生讀起來就像刺激的小說。她富有創意、愛好運動、美麗而且似乎無懼任何事物。湯真諾維奇自1929到1930年於包浩斯就讀，對她而言，包浩斯成為一個探索新視覺科技的地方，而隨著時間過去，發展出將其藝術及對共產政治越來越深刻的承諾搭配一起的方法。湯真諾維奇轉而將後期包浩斯的理想具體化，帶來勇敢但激進的新女性主義。湯真諾維奇的照片描繪看似輕鬆愉快的集合體，但這樣的集合體逐漸在學校之外掀起戲劇性的渲染力，起因於1929年的全球金融危機與接踵而來的經濟復甦不穩定性，以及同時發生的政治左派與右派的兩極化。湯真諾維奇的包浩斯作品是最常被理解的，特別在作品表達的勇敢與公開的政治主張，皆是與其經濟及政治背景相違背的。她曾捕捉在深淵邊緣跳的一支包浩斯舞蹈。在她的實驗中，有一項是在學校獨一無二的：德紹包浩斯曾製作過的唯一一部影片。

像很多包浩斯學生一樣，湯真諾維奇在抵達德紹之前就已完成大量但卻較傳統的訓練。1924年，她在家鄉札格瑞布的美術學院學習素描與繪畫，在1928年得到優等學位文憑。隔年在維也納的藝術與工藝學校讀了一年，向維也納工作坊有名的設計師喬瑟夫‧霍夫曼 (Josef Hoffmann) 學習金屬設計。同時，湯真諾維奇已經打破多項紀錄，在運動界享有高超能力的知名度，包括捷克手球、田徑、滑雪及籃球，成為1920年代運動報章的寵兒。

在上過包浩斯具非凡魅力的第二位領導人漢斯‧邁耶的講課之後，她隨即拋下維也納的課程，直接前往德紹。她剛好在全球股市崩盤的那一年，1929年十月底抵達包浩斯，當時的包浩斯因為泛政治化，處於極度開放的狀況。因為先前的訓練，湯真諾維奇在繪畫、色彩理論及時尚方面已獲得相當的技能，同樣也在第一學期創作的《學生派對》(Student Party) 中，於交纏的人形畫作中可佐證。作品的狹長型格式只留給怪裡怪氣著戲服的學生壓縮的空間，其中一人穿著奧斯卡‧史勒姆包浩斯舞台的蛋型安全帽懷舊設計；另一個，穿著裸露的黑髮美女，則有她自己的影子。

生：1906年，札格瑞布，奧匈帝國（現今克羅埃西亞）。

卒：1988年，札格瑞布，南斯拉夫。

加入包浩斯：1929年。

居住地：南斯拉夫（現今克羅埃西亞），德國，法國，捷克斯洛伐克（現今捷克共和國）。

上：凡那‧湯真諾維奇的包浩斯學生證，1929-1930年。

右：凡那‧湯真諾維奇，包浩斯學生派對，1929-1930年。

在第一學期，湯真諾維奇修了喬瑟夫·阿伯斯的基礎預備教育課程以及著名的瓦斯里·康定斯基的課。修完課程後，她被准許進入沃爾特·彼得漢斯的攝影工作坊更進一步學習。彼得漢斯相當嚴格而且強調攝影方面的技術完美。然而，他也鼓勵不同的實驗方法，湯真諾維奇在捕捉包浩斯生活的同志情誼時有效利用這些方法。一張1930年由下往上拍攝的照片，描繪著包浩斯同學正在做日光浴，有書散在身旁。他們俏皮地坐著鬼臉，對著相機熱情地笑；在拍攝的瞬間他們也玩得很愉快。

湯真諾維奇為1920年新女性增添些許圈內人的觀點，她所拍攝的包浩斯女同學的照片特別難捉摸，展現不同形式的現代女性特質。在其中一些照片，湯真諾維奇使用實驗性的印刷技術，包含美術拼貼及蒙太奇照片，如同她所拍的一系列瑪姬·門格爾（Margit Mengl）的寫真照所展示，門格爾是包浩斯祕書，漢斯·邁耶的外遇對象，也為邁耶生了一個兒

子。身為祕書，門格爾簽署湯真諾維奇在1929年秋天的學生證。在
1930年春天，湯真諾維奇使用所拍的門格爾照片來做沖印過程的實
驗。這些是正式的練習，但照片構圖卻使其中主角擁有代表性的尊
嚴與沉思的內在氣質。與湯真諾維奇一樣，門格爾在意識形態上也
是崇尚革命，她與其他前包浩斯成員一起加入邁耶所組織的「包浩
斯旅」，於1930年秋天移民蘇聯。湯真諾維奇將包浩斯生活與新媒體
的組合捕捉在她未命名的影片中，藉此獲得最大成就，此影片被學
者寶珍娜・佩依齊 (Bojana Pejić) 稱為《五十七秒的包浩斯》(Bauhaus
in 57 Seconds)。此影片在被遺忘許久之後於1980年代終於重拾光
明，然而儘管它是記載包浩斯建築物與學生的唯一影片，卻仍常被
忽略，僅有幾次值得注意的例外狀況。她以九點五公厘帕泰寶貝相
機 (9.5-millimeter Pathé Baby camera) 拍攝，此相機是1920早期針對業
餘製片者及家用觀賞所推出的低價的版本。雖然當時她還不是有經
驗的製片者，湯真諾維奇對前衛派影片卻是相當熟悉，且在1930年
六月，包浩斯邀請漢斯・瑞奇特 (Hans Richter) 放映他及其他人的影
片。湯真諾維奇事後回想她與其他學生曾對他的作品猛烈抨擊，且
譴責他的右翼身分，而他還拿出共產黨證來證明。她並非以編輯方
式製作影片的順序，而是以簡單連續的攝影完成，藉由在每一次的
攝影鏡頭中間片段將電影膠片留在相機中。結果就是形成一段飛逝
的影片，內有不同的包浩斯成員的影片，以及動作中無法辨識的形
象與包浩斯建築物及女攝影師之間互動的影片。電影鏡頭中看得到
其他包浩斯成員，例如建築系講師艾爾卡・魯德爾特 (Alcar Rudelt)、

右：凡那‧湯真諾維奇，未命名的包浩斯影片靜止照，約五十七秒，1930年。

編織家格雷特‧雷卡茨（Grete Reichardt）及凱蒂‧凡德米（Kitty Van der Mijll-Dekker），和金屬設計師奧圖‧瑞特維格（Otto Rittweger）；其他人以其各自的角色緩慢走過佩勒豪斯（學生宿舍）包浩斯建築物及生活，帶著販賣部陽台買來的咖啡與三明治，就像是從包浩斯照片走出來一樣。既然這影片本身就沒有「故事性」，湯真諾維奇最後一個鏡頭就是"Ende"這個字，當代的記敘性影片向超現實主義致意的代表。

湯真諾維奇使用假名維琳妮雅‧霍爾茨（Wirinea Hölz）申請文件，成為包浩斯中正式的共產黨員。其支持工人的政治傾向代表著摒棄撫養她長大的原生家庭，她的家庭是靠銀行業與煤礦獲得大筆財富，而上升到南斯拉夫社會最上層的階級；在1922年十五歲的湯真諾維奇是亞歷山大一世國王婚禮的伴娘，之後卻在包浩斯時期極度激進，她還尋求科技與題材的展示方法顯現其新政治傾向。她在1930年五月一日國際工人節時為共產黨慶祝活動攝影，拍下個別員工的寫真，也在共產主義作家恩斯特‧托勒（Ernst Toller）參訪學校與學生談論革命時拍照記錄過程。

湯真諾維奇頻繁造訪柏林，她在那裡的社交圈包括了1929年一月開始，從亞歷山大一世國王專政逃離的南斯拉夫逃亡者。1930年她參加了名為「南斯拉夫專政：文件、事實」（Diktatur in Jugoslawien: Dokumente, Tatsachen）的展覽，還被南斯拉夫共產黨其中一位創建者要求為此展覽的目錄，創作集錦照片封面。她與共產主義學者約翰‧哈特菲爾德（John Heartfield）於1930年秋天或更早之前碰面，她所創造的影像具有達達主義與約翰的精神，而其封面設計廣泛流傳，特別是在共產主義者的圈子中。湯真諾維奇的蒙太奇照片中，

顯示愚蠢而殘忍的國王穿著掛滿勳章
的軍服興高采烈的擺姿勢，下面踩著
革命者的屍體，周圍都是血紅色圍繞
著他。另一隻手旁寫上展覽的名字，
但出版物中看不到湯真諾維奇的名
字，可能是為了她的安全刻意如此安
排。

　　包浩斯與德紹市內左右派之間的
緊張關係逐漸升溫，1930年五月在許
多其他的共產黨學生被驅離後不久，
湯真諾維奇的密友納夫塔利·魯賓斯
坦（Naftali Rubenstein，後改名為納夫塔
利·阿夫農[Naftali Avnon]）也被驅離。
當市長在盛夏將漢斯·邁耶開除時，
湯真諾維奇決定也是她該離開的時候
了。她將包括一篇1930年創作兩頁的
集錦照片等作品收集成一本相冊。這
本相冊被命名為《祝好運，包浩斯與
柏林同志們，革命後見》（Good Luck,
Bauhaus and Berlin Comrades, and See
You after the Revolution），似乎是在慶祝
她離開的告別語，從左方以紅色字體
寫著克羅埃西亞文「祝好運，同志」
（Sretno drugovi），在下方拼貼著「包浩
斯」及「柏林」。但是「包浩斯」變成
紅色，將它改為一個共產機構。湯真
諾維奇運用集錦照片的力量為學校帶
來風暴：當包浩斯被席捲到烏雲中，
紅色的閃電突然襲擊它。這些閃電
來自於柏林，以其吉祥物熊與指標性的電台塔為代表。
湯真諾維奇自己則出現在包浩斯上方，像個咧齒而笑巨
大的年輕先鋒，似乎在迎接閃電襲擊她的母校。三個朋
友的頭部照片出現在同志（drugovi）這些字旁邊，就像貼
上「同志」的標籤一般，拼貼照片中央為：格雷特·克
雷布斯（Grete Krebs）和柯特與梅塔·斯托爾普（Kurt and
Meta Stolp）。在右邊是阿伯斯所拍的側面照，頭髮微捲且
充滿勇氣。她將它貼上標籤「往柏林的火車上」，並以嘲
諷式的歡樂標上字幕：「革命後見。」

左：凡那·湯真諾維奇，書冊封面
的集錦照片，南斯拉夫專政（Dikta-
tur in Jugoslawien），1930年。

右：凡那·湯真諾維奇，祝好運，
包浩斯與柏林同志們，革命後見，
約1930年。

　　從包浩斯被徹底根除，湯真諾維奇與大部分朋友前往柏林，她獲得平面設計師的工作，與哈特菲爾德一起為共產黨劇院導演厄文‧皮斯卡托（Erwin Piscator）設計布景。她也在夏洛滕堡體育俱樂部兼差打捷克手球，與她的球隊贏得了歐洲錦標賽。1931年她前往巴黎，表面上是在索邦神學院研讀文學，但主要工作卻是擔任共產黨間諜。隔年，湯真諾維奇搬到國際性的布拉格，繼續其平面設計師的工作，並於1933年與阿爾弗雷德‧梅勒（Alfred Meller）結婚。他們一起替百貨公司設計精緻的櫥窗陳列，運用電燈與巧妙的移動元素；有些還能與觀賞者互動。這些陳設使大眾如此的著迷以至於警察必須要阻止大眾太過靠近。

　　1934年夏天她新婚喪偶，接著搬到貝爾格萊德繼續平面設計工作和從事教學。1938年她回到札格瑞布，此城市成為1941年納粹所扶植的克羅埃西亞獨立國魁儡政權的首都。她在戰爭中存活下來，從事美術老師的工作，剛開始是在女子中學，後來在教師訓練機構。在1983年札格瑞布的美術館長與學者重新發掘湯真諾維奇及其作品，而在生命的最後五年她成為幾個展覽與出版品的主題。將這位共產黨新女性凡那‧湯真諾維奇作品帶回到包浩斯歷史應有的位置，揭露一系列令人興奮的視覺實驗，描繪德紹包浩斯晚期核心的新整體：藝術與政治的結合。

貝拉・優曼－伯內（Bella Ullmann-Broner）

安德里亞-貝亞特・迪佩爾（Andrea-Beate Dippel）撰寫

莫妮卡・貝拉・優曼-伯內（Monica Bella Ullmann-Broner）似乎不想留給後代無縫且完美的生平故事。舉例來說，在她有生之年所出版的包浩斯作品集《包浩斯五十年》（50 Years Bauhaus, 1968），她提供錯誤的名字與出生年份（比實際年份晚六年，1911年）給作者。她用過許多的化名，甚至有時一年換一次情人與住所，刻意混淆這位獨立卻古怪藝術家的清晰視野，所以其作品還沒完全被發掘。幾十年來大多數已出版的傳記皆是依賴她的描述，收集為包浩斯檔案紀錄之用。然而經由過去三年大量的訪查工作已逐漸重新拼湊出她的生活。儘管優曼-伯內的重要性是無可爭論的，許多關於其生活與作品的問題仍是無解。追根究底地，她的例子就能更加證明女性藝術家的傳奇故事（特別是沒有小孩的），與其男性同期相比，被保存下來的少很多。

根據紐倫堡檔案館的註冊卡，她是在1905年三月二日出生於歸化猶太的啤酒花商人家庭，被取名為貝拉・優曼。身為上層階級家庭的女兒，她的未來似乎一開始就被決定好了。但身為年輕女性的她卻發展出清晰的藝術家抱負，對改革的教育理念深深著迷。而其父母親也有能力培養她多才多藝的教育，透過國際網絡讓這變得更加容易，起初是經由家庭，之後則是經由橫跨各大洲的藝術家。在1926年左右，優曼先到洛荷蘭德學校（Loheland School）就讀，這是一間藝術家團體於1919年（與包浩斯同年）在弗爾達（Fulda）附近創立的學校。其兩位創辦人海德薇・馮・羅登（Hedwig von Rohden）與路易絲・藍格爾（Louise Langgaard）所採用的全人方法乃部分根據魯道夫・史代納（Rudolf Steiner）的理論；由手工藝、美術、體操與農業所組成的教育。洛荷蘭德的名望吸引像是路西亞・莫歐尼與拉士羅・莫歐尼-那基在到包浩斯之前先到那邊學習。

生：貝拉・優曼，1905年三月二日，紐倫堡，德國。

卒：1993年十二月七日，斯圖加特，德國。

加入包浩斯：1929年。

居住地：德國、巴勒斯坦、美國、法國。

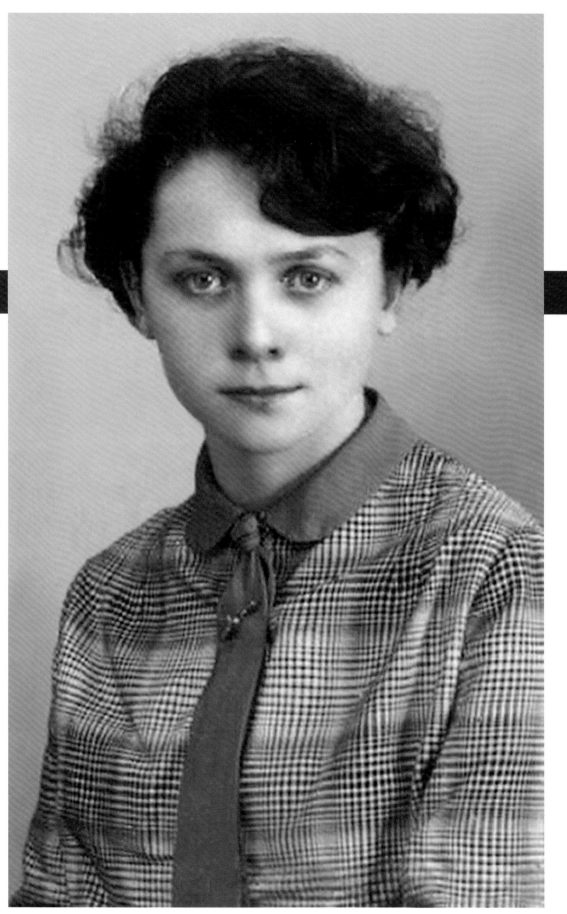

貝拉‧優曼-伯內的登記
卡照片，未註明日期。

與大多數的女性學生一樣，優曼在加入包浩斯前就已有專業經歷。1927到1929年間，她住在希爾德斯海姆（Hildesheim），轉學到德紹包浩斯之前，她可能在那裡接受手工藝老師的教育訓練。她入學1929–1930年冬季班，學生編號為三九四號，而她上過的課程可從包浩斯檔案庫的文件紀錄中查出。她經常引用喬瑟夫·阿伯斯所上的「色彩理論」與瓦斯里·康定斯基所上的「繪圖分析」課程中作的筆記與練習，特別是關於色彩的主題。此外，優曼也修過希納克·薛佩爾、喬斯特·舒密特與攝影師沃爾特·彼得漢斯的課。1930年她為同是德國共產黨員的同學麥克斯·吉布哈（Max Gebhard）所製作的同名集錦照片《爭取婦女權利的鬥士》（Kämpferin für Frauenrechte），扮演女權運動者。一年後，這張照片成為1928到1930年間德紹包浩斯作品於莫斯科展覽的目錄封面。

優曼所學的科目與她的興趣一樣很多樣化，她可能跟薛佩爾學過壁飾，跟舒密特學過插畫，斷斷續續地在其後的職業生涯中運用過這兩種技法。一幅1929年周末度假屋的建築設計圖也被保存下來。與許多女性同學一樣，儘管她極富野心，最後仍被安排到包浩斯編織工作坊，在崗塔·斯托爾策爾的指導下幫忙創作過一些工業設計品。雖然最終在1930年因為政治因素被學校開除，當崗塔面對別人的責難時，優曼與歐緹·貝爵都支持並主張完全信賴她。在優曼畢業多年後他們仍保持聯繫，而在1950年代，當時的貝拉·優曼-伯內（與厄文·伯內〔Erwin Broner〕結婚後從夫姓）還定期到蘇黎世拜訪斯托爾策爾，甚至於1977年替她的作品在斯圖加特辦了一個展覽。

處於納粹壓迫期間，身為「半個猶太人」（Halbjüdin）的優曼認為生命受到威脅。她的母親試著與她及其六個手足和其他家人從德國移居外國，1936年時他們在美國找到避難所，貝拉則去了巴勒斯坦，在1937至1938年間，與前包浩斯學生同時也是斯托爾策爾的前夫，建築師艾瑞·沙朗（Arieh Sharon）一起工作，也許是為了特拉維夫合作住宅的設計案而合作。鮮少資料顯示她與沙朗的實際關係是什麼；同樣地先前與土木工程師卡爾·恩斯特·羅森泰（Karl Ernst Rosenthal）的短命婚姻也鮮少有資訊，這段婚姻於1933年在慕尼黑開始，但在1938年就結束。她可能最早在1933年，試圖經由鹿特丹脫逃失敗後，就與羅森泰移民到巴勒斯坦。但與厄文·伯內的婚姻不同的是，她當時並沒有從羅泰森的夫姓。

上：貝拉·優曼-伯內扮演女權運動者，1930年麥克斯·吉布哈所製作《爭取婦女權利的鬥士》（Kämpferin für Frauenrechte）。後來被用為德紹包浩斯1928-1930年作品展的目錄封面，莫斯科，1931年。

左上：貝拉·優曼-伯內，物體移動研究，源自喬瑟夫·阿伯斯的基礎預備教育課程，1929–1930年。

左下：貝拉·優曼-伯內，嘗試二次色的著色，1931年。

曾有過一次婚姻的優曼與伯內的婚禮在巴勒斯坦舉行。他們運用了跨學科的藝術方法，直到1948年離婚前的歲月，他們都一起度過。厄文在慕尼黑、德勒斯登與斯圖加特等地的藝術學院學習過繪畫，且深受其師漢斯‧奧夫曼（Hans Hoffmann）的影響。身為建築師，厄文從白院聚落（Weissenhof housing estate）獲得相當深博的知識，此聚落為1927年工藝聯盟在斯圖加特的展覽而構築。夫妻倆於1938年定居洛杉磯，厄文在那裡擔任攝影師與建築師的工作，貝拉則擔任電影的場景設計師。1944年於申請美國公民權時，貝拉將自己的姓簡化成伯內。最後他們在1948年搬到紐約的克拉姆維爾（Krumville），貝拉的家人在那裡有一座海狸湖屋（Beaver Lake House）農場，也被稱為優曼農場，且自1941年起她就在那邊建立一間民宿。而這成為包含馬克‧夏卡爾（Marc Chagall）、那鴻‧戈德曼（Nahum Goldmann）、戴維‧本-古里安（David Ben-Gurion）和庫特‧布盧曼菲爾德（Kurt Blumenfeld）等名人的招待所。但克拉姆維爾這地方並未帶給貝拉快樂；在這主要是猶太移民的社交中心，厄文遇見他第三任也是最後一任妻子吉賽拉。

　　第二次世界大戰之後，伯內曾短暫地搬回歐洲，於1947至1949年間住在巴黎。主要是因為她在法國音樂電影《愛麗絲夢遊仙境》（Alice in Wonderland，1951年）中擔任劇照攝影師，於第一次上映同年，華特‧迪士尼公司也將路易斯‧卡羅（Lewis Carroll）這部經典寓言故事加以改編，直到今日仍被認為是精采不落俗套的爆冷門暢銷電影。回到美國後，伯內為了從事藝術而在名字前面加上「莫妮卡」，且到南方從事紡織產業設計師的工作，後來回到紐約擔任童書插畫家。現存留下來的1958年童書設計，看得見畢卡索對她的影響，而1956年於現代藝術博物館展出的美國紡織料展覽，她的紡織料作品與畢卡索和夏卡爾的作品並列；優曼的包浩斯同學安妮‧阿伯斯則擔任評審團成員。這項綜合展覽仍被視為呈現全美國製造的紡織料之里程碑。一件伯內的作品，1954年的手工編織，羊毛與棉材質帶著毛料條紋裝飾的壁掛，在「家居擺設」區被展出。在奧斯卡‧史勒姆的遺孀，塔特‧史勒姆（Tut Schlemmer）以及邁克斯‧比爾等幫助下，伯內於1968年回到德國，參加在斯圖加特福騰堡美術協會所舉辦的包浩斯五十周年盛大展覽。她在此展覽的代表作是一

上：與貝拉‧優曼合拍的團體照，1929–1930年。從左到右：維拉‧邁爾-瓦爾德克（Wera Meyer-Waldeck）、瑪嘉烈特‧丹貝克、歐緹‧貝爵、貝拉‧優曼-伯內與格特魯德‧普耶斯沃克（Gertrud Preiswerk，或名德克斯 [Dirks]）。

右：貝拉‧優曼-伯內與其設計，攝於福維克，1990年代早期。

最右：貝拉‧優曼-伯內的地毯樣品，福維克，設計編號2434/6。

張1933年設計的毯子與位於北卡羅納州國王山的美國紡織料製造商內斯勒
(Neisler Mills)所生產的家飾布料。

　　文藝學者烏爾‧穆勒透過收集當代著作敘述,推斷伯內在回到斯圖加特
後就不再從事藝術創作。她反而販售部分包浩斯時期的代表作以維持生計。
住在藝術家工作室時,大部分時間都與塔特‧史勒姆及前包浩斯同學也是
德國西南部的包浩斯代表格特魯德‧阿恩特一同度過。1970年代,她與包
浩斯檔案第一位指導者彼得‧哈恩(Peter Hahn)遊遍德國,搜尋資產與文史
資料。此外,她也協助宣傳紐倫堡崛起的當代藝術家理查‧林德納(Richard
Lindner)的作品,具有猶太血統的理查也在1941年移民到美國。在1990年代
早期,當地毯製造商福維克找上門時,她可能非常驚訝:她的兩件設計作品
被選為《經典:包浩斯的女性》(Classic: Frauen am Bauhaus)代表作之一,這
選集是從未被生產過、按年序的原創設計。在福維克公司的資料庫中可以看
到此年長藝術家正在檢查樣品的照片。設計編號2434/6的軟薄綢印花圖案地
毯至今仍有生產。此設計展現了伯內全部作品的特色原則:包浩斯所傳授的
精準幾何型態,通過運用色彩對比來柔和地塑形和變化。優曼-伯內於1993
年在斯圖加特過世,《斯圖加特報》(Stuttgarter Zeitung)還給她一個榮譽封號
以紀念她:包浩斯女士(Die Bauhausdame)。

凱蒂・費雪・凡德米・戴克 (Kitty Fischer Van der Mijll Dekker)

安克・貝魯姆 (Anke Blümm) 撰寫

每一個荷蘭人都知道凱蒂・費雪・凡德米・戴克 (Kitty Fischer Van der Mijll Dekker)——特別是因為其1930年代的現代化茶具擦拭布設計：她將傳統沉重的方格印花轉變成亮色抽象的圖案，在顏色與色彩上巧妙地變化。這些擦拭布很耐洗、不褪色且堅固耐用。時至今日，仍可買到她的設計再版品，其原作則被保留在博物館中。凱蒂・費雪・凡德米・戴克是二十世紀荷蘭最著名的編織家之一。

凱薩琳娜・露易莎・凡德米・戴克 (Catharina Louisa van der Mijll Dekker)，以凱蒂 (Kitty) 之名聞名，是荷蘭駐印尼日惹一位殖民官的女兒。其家庭在她八歲時回到荷蘭。她在海牙的女子學校上課，1925到1927年間在瑞士與英國接受語言及藝術的綜合教育；還與父母親花了四個月的時間遊遍北美。其後在室內設計師喬爾・阿朗斯 (Cor Alons) 的辦公室內工作，直到她的叔叔，有名的現代建築師簡・拜哲斯 (Jan Buijs)，激起她對包浩斯的注意。於1929年在德紹包浩斯入學，她的抱負是成為一名室內設計師。她在基礎預備教育課程的老師包括瓦斯里・康定斯基、喬瑟夫・阿伯斯、保羅・克利及奧斯卡・史勒姆，其中就是阿伯斯建議她嘗試紡織料設計。

雖然是聽從老師的建議，凡德米・戴克上的是當代女性特有的教育課程，但德紹包浩斯的編織部門與傳統的編織工作坊不盡相同。包浩斯第二任校長漢斯・邁耶著重的是與工業的合作——沃爾特・格羅佩斯在1923年就已採取的措施。當時工作坊的主任是年輕教授崗塔・斯托爾策爾，教的是綜合理論與動力織機實作編織。女性學生不只要設計紡織料花樣，且根據課程安排，她們也要測試紡織布料的「拉力強度、耐磨度、彈性、拉伸力、透明度或不透明度、色固性與抗褪色程度。」她們也要學習簿記與薪資計算，並被建議要在產業公司中實習一學期。

凡德米・戴克試驗新的材料包括玻璃紙、Eisengarn (一種鐵紗的商標名，於十九世紀中在德國發明的反光棉線)、酒椰樹纖維與合成紗線。經過四學期之後，她在波美拉尼亞魯梅斯堡的梅斯契克棉布廠 (Meschke Cloth Mill) 通過學徒考

生：凱薩琳娜・露易莎・凡德米・戴克，1908年二月二十二日，日惹，荷屬東印度 (現今印度尼西亞)。

卒：2004年十二月六日，奈凱爾克 (Nijkerk)，荷蘭。

加入包浩斯：1929年。

居住地：印尼、荷蘭、瑞士、英國、美國、德國。

左上：凱蒂·費雪·凡德米·戴克，擦拭巾設計，紡織料博物館製作的現代複製品，蒂爾堡（Tilburg）。

右上：凱蒂·費雪·凡德米·戴克，海爾德蘭省議會廳內地毯，阿納姆（Arnhem），荷蘭，1954-1955年。

左：凱蒂·費雪·凡德米·戴克於德紹房間，約1929-1932年。

試；這間工廠是同學瑪格‧梅斯契克（Margot Meschke）的父親所有。1932年四月，凡德米‧戴克收到包浩斯編號第六十六號學位文憑，隨後回到荷蘭，在寧斯佩特小鎮開了自己的編織工作坊「翹翹板」（De Wipstrik）。然而她不是獨自回去，有兩位校友與她一起：德國夫妻檔格雷琴‧費雪-凱勒（Greten Fischer-Kähler）與丈夫赫曼‧費雪（Hermann Fischer）。格雷琴與凱蒂同時收到編織工作坊的學位文憑，而赫曼在1932年八月取得建築系文憑。格雷琴與赫曼在1931年就已結婚，當時帶著兒子克勞斯一起到寧斯佩特。剛開始工作坊是在凱蒂父母的朋友家外邊運作。1933年五月，這三人將工作坊搬到寧斯佩特車站街上空間較大的房子。然而這三方合作關係並不順利。到了1934年四月，赫曼與格雷琴就已離婚，而赫曼與凱蒂一起搬到工作坊；兩人於1950年結婚。

在格雷琴離開寧斯佩特後，工作坊被改名為「凱蒂‧凡德米‧戴克手作編織與設計工作室」（Handweverij en Ontwerpatelier）。儘管有個艱難的開端，凡德米‧戴克仍舊成名了。1932年十一月，位於阿姆斯特丹的應用藝術教育學院的編織課程邀請凱蒂前往授課。隔年一月，她的作品在阿姆斯特丹的市立博物館展出。同年秋天，其窗簾與毯子作品贏得米蘭三年博物館（Milan Triennial）的銀牌獎項。隔年，阿姆斯特丹市立博物館取得一張她的地毯作品，成為新的應用藝術收藏之一。1934到1935年間，她為波昂的史班哲（Spanjaard）家用紡織料公司工作，一星期兩次，也承接恩荷芬的凡迪索&桑恩斯（Van Dissel & Sons）亞麻布工廠的委託獨立工作。幾年後，她在那裏創作出受歡迎的擦拭布設計。到了1937年，不只阿姆斯特丹的市立博物館購買她的作品；其作品也在巴黎的世界博覽會備受尊崇，而其中兩張地毯作品也在紐約的大都會博物館展出。

1940年德國佔領荷蘭，為這對夫妻帶來極大問題，因為赫曼可能被迫徵招入伍，但在醫師朋友的幫助下，讓他能避免此狀況。在這期間，費雪‧凡德米‧戴克加入荷蘭的帝國文化院（Chamber of Culture），一個以納粹文化院為典範的機構。只有成為會員，她才能繼續接訂單，也能讓她的丈夫受到某種程度的保護。到現在很難評斷這樣的決定是否正確，在戰後，她很明顯地是因為成為此機構的會員，而被新的應用藝術聯合會（Gebonden Kunstenaars Federatie, GKF）婉拒入會。

右：凱蒂‧費雪‧凡德米‧戴克於應用藝術教育學院教學，阿姆斯特丹，1955-1960年。

下：凱蒂‧費雪‧凡德米‧戴克，筐籃編織毯，1933年。

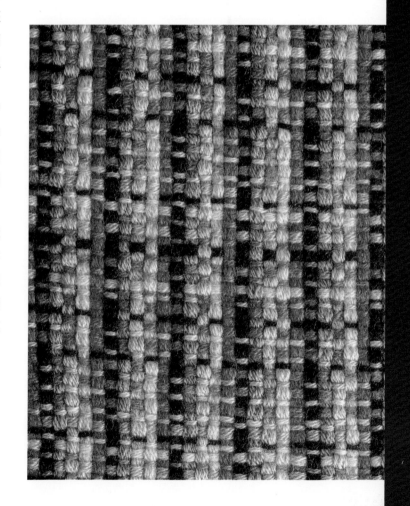

然而在這幾十年間，費雪‧凡德米‧戴克極富盛名。1945年後，她開始接城市與地方政府的公共委託案，如阿姆斯特丹電信交換 (1952-1953) 與海爾德蘭省 (Gelderland Provincial House) 議會廳 (1954-1955)。她獲得各式各樣的榮譽勳章，其作品也出現在許多展覽中。當凱蒂與她的名字常常出現在大眾面前時，赫曼則在幕後工作，持續經營他們的生意，主要負責實現妻子的設計。不過他似乎也可在壁掛與地毯方面獨力完成自己的設計。車站街上的工作坊持續運作到1966年，在那之後夫妻倆正式結束此事業，僅偶爾執行一些私人訂單。赫曼於1974年過世，而他的妻子比他多活了三十年。

除了獨立工作外，費雪‧凡德米‧戴克也在阿姆斯特丹的應用藝術教育學院(現在的皇家藝術學院[Gerrit Rietveld Academie])任教許多年，直到1970年為止。她於1934年開始教學，當時的學院仍是傳統導向。1939年時，曾於1929年間擔任德紹包浩斯客座教授的建築師馬特‧斯特蒙 (Mart Stam) 被任命為此校校長。他的目標是要依包浩斯為典範來改革學校。為這目的，他將另一位包浩斯校友格雷琴‧尼特-凱勒 (Greten Neter-Kähler) 聘到學校，她是費雪‧凡德米‧戴克的同學與前合作夥伴，於第二段婚姻中成為寡婦。因為她們緊張的私人關係，編織課與紡織料課並未如預期般合作緊密。

費雪‧凡德米‧戴克後來時常強調包浩斯的教育為其職業生涯與教師工作打下基礎。與許多設計師不同的是，她排斥民間藝術，因為她相信創新只來自做某種全新事物的自由，但同時必須有理論和面面俱到的工藝教育為基礎。她被認為是嚴格且要求極高的老師，非常重視理論的掌握性。經由教學，她將紡織教育從注重裝飾的領域，提升為以材料及科技為導向的新境界。在1940年代，她在三本書中概括了其編織技法的經驗，雖然這些書未出版，卻保留為皇家藝術學院的基礎教材。

蘇斯卡 · 班基（Zsuzska Bánki）

艾斯德爾 · 班基（Esther Bánki）撰寫

蘇珊娜 · 克拉拉 · 班基（Zsuzsanna Klara Bánki），大家都叫她「蘇斯卡」（Zsuzska），來自一個富裕的猶太家庭，家人在匈牙利西北部重要的貿易與工業中心焦爾（Gyor）擁有多筆土地及從事穀物買賣。其父母親佐爾坦 · 萊興費爾德（Zoltán Reichenfeld）與奧爾加 · 高德施米特（Olga Goldschmied）在1902年結婚前，為符合有名的匈牙利「Magyarization」歸化程序，於是將原本姓名改為佐爾坦 · 班基（Zoltán Bánki）及奧爾加 · 阿爾帕西（Olga Árpási）。蘇斯卡 · 班基是在一個開明且高知識的家庭環境中長大。其父母親的文化興趣相當廣泛且常一起旅行。身為猶太祭司（Kohanim），班基一家人在焦爾的猶太社群中有相當特別的地位。其父親本身是婦科醫師，也是焦爾助產學校校長，定期在國內與國際間發表婦科主題文章。來自富裕家庭的母親則將精力投注在布置房子與收集古董上。在貝洛 · 庫恩（Béla Kun）的共產改革政權崩解後，她的哥哥厄登（Ödön）被控參與共產黨活動，且被迫離開中學。他在烏茲堡及慕尼黑研讀醫學，於1927年取得博士學位，之後在荷蘭定居工作。

班基於1930年夏天通過當地的中學考試，她一開始想跟隨父親與哥哥的腳步學醫。但經過密集的家庭討論後，她的父母——特別是媽媽——建議她成為室內設計師，因為他們相信女性不適合從醫，也比較難走進家庭。她決心像她哥哥一樣前往德國，在1930年十月註冊德紹包浩斯，註冊號碼第四百五十九號。時至今日，已經無法精確地推論她決定註冊包浩斯的理由：可能是家族朋友陶藝家瑪姬 · 科瓦契斯（Margit Kovács）的建議，又或者班基在1929年看到沃爾特 · 格羅佩斯與史蒂芬 · 席柏克（Stefan Sebök）競爭焦爾劇院的重建案。然而，前往德國的決定與匈牙利1920年頒訂的限額法律有關，此法將猶太人能註冊大學及其他更高教育的比率限縮在百分之六。她很多朋友與熟人都在德國就讀，而以匈牙利的標準衡量，德國的生活費相對低廉，且與匈牙利的距離還在接受範圍內。

班基那年十八歲，是最年輕的女學生之一，在學校附近的哈登伯格街上一棟大房子內，「以五十五馬克，租了一間包含燈光及擦鞋的房間。」她從這裡寫了一封信給哥哥厄登：「有太多想跟你說了。學校本身就很大了。

生：1912年三月二十一日，焦爾，奧匈帝國（現今匈牙利）。

卒：1944年，奧斯威辛，波蘭。

加入包浩斯：1930年。

居住地：奧匈帝國（現今匈牙利）、德國、奧地利。

「（她）絕對是包浩斯最漂亮、最甜美的學生。很多人都愛著她。」

雅瑟克 · 韋因費爾德，同學。

右：蘇斯卡‧班基，1930年。

這裡的指導老師很會教學，將他們的影響力發揮到極致，也非常忙碌，但追根究柢，我在這裡學不到我想要的。我積極地學習建築，但對女孩來說，這是沒有未來的（甚至比醫生這個職業更沒未來），而在這裏也學不到所謂的室內設計。」根據她的同學伊蓮娜‧布歐發（Irena Blühová）後來回想，認為她「真正討人喜歡、非常漂亮且十分有智慧，這是無庸置疑的。她具有某種程度的魅力。的確，男孩們都很喜歡她。但她非常不容易親近，而且也相當不多話。」她的朋友圈都稱她為「愛人」（sered-lek），匈牙利文是「我愛你」的意思，正如雅瑟克‧韋因費爾德（Jaschek Weinfeld，吉恩[Jean]，更早叫伊薩克[Isaak]。）所述，班基「絕對是包浩斯最漂亮、最甜美的學生。很多人都愛著她。」

「老實說，你也覺得女人不
可能蓋房子吧？其實，我也
無法想像。」

蘇斯卡·班基。

　　修完1930-1931年冬季班的基礎預備教育課程後，第二與第三個學期她研修了路德維希·密斯·凡德羅及莉莉·瑞希（Lilly Reich）的建築與室內設計課程。班基同時一星期至木工工作坊工作兩次，在空閒時間，則到紡織料工作坊培養興趣。1931年三月底，建築與室內設計系接受她第二學期的入學申請，但這對包浩斯的女性來說絕不是條最簡單的路，她對這決定也不太肯定，也不確定未來是否能自己開業。「與我的信念正好相反，我現在將要攻讀建築，這對女孩來說絕對是最不適合的；在這領域，女孩們沒辦法達成像樣的成就。」她寫給哥哥的信中這麼說。「老實說，你也覺得女人不可能蓋房子吧？其實，我也無法想像。」儘管如此，在1931-1932冬季班，她仍設計了幾間德國風格的安置房（Siedlungshäuser）。

　　一開始，班基對包浩斯內的政治議題，與卸任的前校長漢斯·邁耶之擁戴者間「無止盡的爭辯」一點也不感興趣。然而，這種不關心政治的態度在第二與第三學期時起了變化：可能基於和雅瑟克·韋因費爾德、艾琳娜·布歐發、沃爾德馬·阿爾德（Waldemar Alder）的友誼，她開始參與共產主義大學生分部的活動。班基從事政治活動時宣告她與共產黨團結一致，但自己並未成為黨員。1932年三月十九日，在密斯·凡德羅要求警察疏散聚集在包浩斯餐廳的學生後，她就與一些學生一起不參與義務性的學期末展覽。因此，她與其他十二位學生便不再被允許於下個學期入學；幾天後，她在告知哥哥此情況的信中寫道：「包浩斯將不再同意我入學了，現在我必須到外面的世界。但應該去哪裡我一點想法都沒有，在這裡，他們說我不被接受的唯一理由，就是我們無法跟上其他人的程度。且沒有時間照顧每一個人的進度。但也許是有其他原因的。」在1932年四月，她與同學馬蒂·維納（Mathy Wiener）一起提出另一次的申請入學，但仍被包浩斯管理階層駁回。

左：芙樂特·林德納（Flirt Lindner）、蘇斯卡·班基與伊曼紐爾·林德納（Emanuel Lindner）在包浩斯販賣部，1931年。

右：蘇斯卡·班基，可能和山脇道子（Michiko Yamawaki）一起，約1932年。

　　無法再繼續學習的班基，沒有拿到證書就離開學校。她與建築系同學慕尼歐·溫勞布（Munio Weinraub）一同搬到法蘭克福，1932年五月，她的入學申請被法蘭克福藝術學校的家居暨室內設計系接受，此學校由維也納建築師法蘭茲·舒斯特爾（Franz Schuster）創立，他是新法蘭克福計畫（Neue Frankfurt）的倡導者之一，而班基在那裏讀到1933年四月。她也在此校找到幾位像她一樣被包浩斯除名的校友，包括雅瑟克·韋因費爾德、亨茲（Heinz）與里卡達·施威林（Ricarda Schwerin）和亞伯特·門特爾（Albert Mentzel）。對她的法蘭克福時期知道的不多，因為相關的學校檔案都在戰時遺失。不過可以確定的是，1933年三月在校長弗里茨·威契特（Fritz Wichert）與法蘭茲·舒斯特爾被納粹政府開除的幾周後，與其他的前包浩斯人一樣，班基遭受毀謗而離開法蘭克福。同一年中有兩次，她的教育因為政治因素被中斷。她回到焦爾，申請布達佩斯及布拉格的科技學院，但她覺得被錄取的機會相當渺茫，於是她在1933年五月底，到維也納住了幾個星期，申請到奧斯卡·施特納的應用藝術學校就讀，計畫在那裏專攻室內設計，而施特納在二十年前曾是法蘭茲·舒斯特爾的老師。

　　應用藝術學校的學費相當高，所以在1933年七月，她申請了維也納藝術學院克萊門斯·霍茲梅斯特（Clemens Holzmeister）教授開出的實習工作。1933年十月開始，班基正式加入他的建築主修課程，總共在那裏讀了三年。與家人的書信中可看出，在學習期間，她接到幾筆維也納與焦爾的委託案。然而時至今日，沒有紀錄可以證明她參與過霍茲梅斯特房產的案子。只有一個確定參與其中的案子有提到她的名字，即使沒有紀錄證明，但因為她的父親在1934年早逝，她極有可能依賴這額外的收入支付在維也納的生活。

左：基督君王教堂，芙格威德(Vo-gelweidplatz)，維也納，奧地利。

左下：蘇斯卡・班基和奧爾加・阿爾帕西(Olga Árpási)，1934年。 希爾德・哈布契(Hilde Hubbuch)拍攝。

根據其兄嫂的回憶，我們得知班基參與維也納紐弗恩浩斯區基督君王教堂的建設工程。此教堂也被稱為塞佩爾-道爾福斯紀念教堂(Seipel-Dollfuß Kanzler-Gedächtniskirche)，於1933年在霍茲梅斯特的指導下開始建造，1934年九月完成。班基究竟參與哪個領域，很遺憾地無從得知。

班基於1936年考過了維也納學院的文憑考試，她是唯一的女學生，也是唯一的猶太學生。考試包含設計了一張領洗池(Tauf-becken)，因此她收到極高的讚賞，在學院教授的合議會議中，對班基贏得幾次有名的獎項盛讚不已。與宗教相關的結構體設計是霍茲梅斯特的典型作品，而領洗池可被視為個人設計，或與教堂的建構規劃有關。以猶太女性身分處於天主教徒密集的環境中，班基能專門參與基督教相關的主題案，真的相當出色。

她最有可能在1936年底回到焦爾，母親還住在那裏，而她也在那裏經營自己的室內設計事務所。父親過世兩年後，她親自設計父親的墓碑，至今仍矗立在市區的猶太墓園中。這是被教授克萊門斯・霍茲梅斯特所影響的作品之一，天然石材製作，此墓碑結合了經典與現代的型態。1936年，她接到市政府的委託，為當地極富盛名的活動、一年一度的羅伊舞會(Lloyd Ball)繪製邀請卡，且為了慶祝此活動，重新整修此城市知名的「亭」(Kiosk)建築的內部裝潢。在這段時期後，有她承接的委託案跡象極少，大部分都是因為1939年匈牙利頒布的反猶太法律，徹底地減少猶太人參與公共和經濟事務的機會。

班基在1938年與富有的內科醫生伊什特萬・施特克(István Sterk)結婚，他不只是匈牙利鐵路局的醫師，也擁有自己的X光機。夫妻倆的蜜月旅行去了義大利與北非。但因為匈牙利的政治局勢不穩，為了照顧班基的母親，他們捨棄了移民到荷蘭殖民地的計畫。施特克隨機從電話簿中找了一個基督教名字伊什特萬・保羅(István Pál)，從那時起就一直使用這名字。戰時他在勞改營中存活下來。德意志國防軍(Wehrmacht)在1944年三月入侵匈牙利不久後，匈牙利境內的猶太人就被驅逐到實驗營中。在五月二十三日，來自焦爾的五千六百名猶太人，包含班基和母親，被送到焦爾島(Gyorsziget)的猶太聚集區；班基所有的畫作與設計都不見了。兩個星期後，在六月七日，被驅逐的猶太人被聚集到學校建築物內，他們的錢財都被搶走。其後不久，他們被重新安置，這次是在第一次世界大戰後城外的無人兵營裡。他們在六月十一日被驅逐到奧斯威辛集中營，蘇斯卡・班基與母親在那裡被謀殺。

理卡達 · 施威林 (Ricarda Schwerin) 用她的木製玩具帶給相當多的孩童歡樂，也讓她逃離自己生活中的諸多痛苦。母親在1925年早逝後，當時才三歲的理卡達在孩童之家長大，如此一來才不會阻礙父親的事業。當其中一位老師成為她的繼母，她就被送往一個接著一個的姑姑家，最後被送到齊陶(Zittau)薩克森市的祖父母家，住到祖父過世為止。其後她搬回與父親及繼母同住，但終究以分開收場；她拒絕接受新教堅振禮，讓父親覺得丟臉，於是又被送走。

理卡達本姓梅爾策 (Ricarda Meltzer)，與梅雷德 · 奧本海姆 (Meret Oppenheim) 一起到黑林山區的柯林希斯費爾德 (Königsfeld) 上寄宿學校，奧本海姆後來成為一位前衛派藝術家，也是理卡達的密友。拿著小型箱式照相機拍照變成梅爾策最愛的娛樂消遣。「年輕人，來包浩斯吧！」包浩斯的簡冊激起梅爾策的好奇心，在學校期末考前不久，家人都未知的狀況下她就申請入學德紹包浩斯。她的作品集相當讓人印象深刻，連她自己也感到驚訝的是，她被包浩斯錄取了。更讓她驚訝的是，她父親居然願意支付她的包浩斯學費——也許部分原因是因為可以讓她遠離家裡。

梅爾策註冊包浩斯1930年夏季班，見證到校長漢斯 · 邁耶最後少數的公務作為。抵達包浩斯的第一天，她就將金髮長辮剪掉，改變成包浩斯年輕女性所喜愛的短捲髮，成為學校朋友喜愛的攝影對象。與寄宿學校死板的日程相比，包浩斯無拘束的生活方式一點也不僵化，且因為對康定斯基或克利所教的精緻藝術一點也不感興趣，她很快就決定要主攻攝影並專注於沃爾特 · 彼得漢斯的課程。梅爾策也對廣告工作坊有興趣，如同她在自己的自傳草稿中提到：「在工作坊中創作出來的新銳利形式，帶給我無限的靈感……我在書頁版面空白處發現創意使用方式，有極大可能性藉由印刷來賦予文字全新效果。」

雖然理卡達宣稱自己在包浩斯時期就把一輩子要辯論的量都用完了，但其實這是對亨茲 · 施威林 (Heinz Schwerin) 的讚美，原因倒不是驅使她加入共產主義大學生分部 (KoStuFra) 的哲學性討論。她對亨茲一見鍾情，儘管一開

生：理卡達 · 梅爾策，1912年一月三十日。哥廷根，德國。

卒：1999年七月二十九日，耶路撒冷，以色列。

加入包浩斯：1930年。

居住地：德國、捷克斯洛伐克（現今捷克共和國）、匈牙利、以色列、希臘。

理卡達 · 梅爾策與亨茲 · 施威林，約1932年。

始她覺得這名猶太建築系學生是「愛炫耀的人」。1932年春天，施威林協助組織活動來抗議包浩斯校長密斯・凡德羅，梅爾策於同時也不被允許到校上課，而後來也不被允許進入學校。這一對戀人於是短暫地住在柏林，梅爾策在那裏任職於艾倫・奧拜克（Ellen Auerbach）和葛雷特・史特恩（Grete Stern）的「林格爾 + 皮特」（ringl + pit）工作室。梅爾策隨後與弗里茨・威契特（Fritz Wichert）一同到法蘭克福自由與應用藝術學校（Städelschule）就讀，但在納粹取得政權後，學習就嘎然終止了。施威林在政治領域仍很活躍，在1933年四月，因為違法發送傳單而被逮捕，但成功脫逃。因為具有猶太身分，且身為被控反抗及叛國罪的前包浩斯共產黨員，他不得不逃亡。雖然沒有直接威脅到梅爾策，但她還是陪伴他前往布拉格與巨人山區，在那裏有三個月的時間，她以影像記錄從德國集中營脫逃者被嚴刑拷打的傷痕。梅爾策與施威林於1935年五月在匈牙利佩奇結婚，當時德紹的老友恩斯特・米塔（Ernst Mittag）與艾特・米塔-佛多（Etel Mittag – Fodor）當他們的結婚證人。那年夏天，這對新婚夫妻取得巴勒斯坦的旅遊簽證，在那裏加入了前包浩斯成員的社群。

　　與很多流亡者一樣，剛開始施威林夫婦很難找到工作與謀生方法。在家族房產中被保存下來的一張自製廣告傳單，即為一個令人感動的例子，呈

現出他們冀望以簡單途徑尋求成功。施威林與前校友塞爾曼‧塞爾曼納吉克（Selman Selmanagic）一起以最現代化的方式、最便宜的價格，提供「建構式土木工程、店鋪裝修、室內裝潢與庭園設備」，以及不曾有過的花箱特製品。接著是理卡達‧施威林以下面的方式出場：「需要照片嗎？來我的工作室一趟。你一定會滿意的。」備註中提到的，高需求量客戶須提前預約，但這可能只是個微妙的廣告手法。

這對夫妻的「施威林木製玩具」應用藝術工作坊第一次為他們帶來些許的成功。他們所製作的實木玩具甚至在1937年巴黎的世界博覽會中的巴勒斯坦館展出。藝術史學家卡爾‧史瓦茲（Karl Schwarz），同時也是1933年柏林猶太博物館創始人與館長，更在移民之後，統籌特拉維夫美術博物館。史瓦茲在《國土日報》（Ha'aretz）「藝術教育」（Erziehung zur Kunst）專欄中曾這麼寫道：

「直到現在，從沒有任何玩具稱得上是『真實的玩具』。但幾天前，我在耶路撒冷看到啟發熱情的玩物。簡單的木製玩具，堅固卻有帶著特別吸引人目光的藝術形式。我把這些玩具給幾個小孩玩，他們帶著極大的興趣拿走玩具，到最後還不想還回來……在耶路撒冷的兩位年輕藝術家施威林夫婦，以獨特的型態感與對教學的理解製作這些東西。施威林夫婦以基本形狀為起點，避開所有複雜性，免去所有裝飾，就此真正的藝術作品藉由簡單與自然的方式產生。」

在威瑪包浩斯木工工作坊中就已十分重視的包浩斯思維，被施威林夫婦運用到孩童玩具上，而藉此維持了家庭生計，讓他們也能有錢生小孩：女兒珠塔與兒子湯姆分別在1941年與1945年出生。然而，這小小的快樂很快就結束，在巴勒斯坦被分割之後，亨茲被徵兵到以色列軍隊的先驅單位哈加拿（Haganah），於1948年一月軍隊部署時死亡，可能因為腦瘤而失去平衡，從三樓建築物的屋頂摔下來。雖然理卡達從未改信猶太教，她仍決定留在以色列

照顧公婆。身兼單親媽媽的身分，理卡達無法獨自經營工作坊，所以在試過不同的謀生方式後，她開了一間私人日托中心以撫養她的家庭。

　　1955年施威林認識喪妻的攝影師阿爾弗雷德‧伯恩海姆（Alfred Bernheim），一個大她二十七歲的耶路薩冷人，他曾在威瑪的建築學院向沃爾特‧黑格（Walter Hege）學習。施威林在他的工作室中重拾對攝影的興趣，而有將近二十年的時間，兩人在事業上與私生活上共有一段相當充實的關係，她更將包浩斯所學的知識運用在專業上。兩人也加入德語系藝術家的圈子，這些藝術家定期在咖啡館碰面。年輕且舉足輕重的以色列政治家，像是馬丁‧布伯（Martin Buber）、梅納罕‧比金（Menachem Begin）與伊札克‧拉賓（Yitzhak Rabin）都在伯恩海姆工作室中拍攝過肖像照，工作室地處便利，就在以色列議會大樓附近。施威林則替果爾達‧梅爾（Golda Meir）和戴維‧本-古里安（David Ben-Gurion）拍攝有權威的肖像照，並為著名的哲學家漢娜‧鄂蘭

HENSCHELS
PROMPT-SERVICE:

KLEINE UND GROSSE FUHREN
IM GESAMTEN NÄHEREN OSTEN
IN ELEGANTER LUXUSLIMOUSINE!

VON KÜNSTLERHAND GEFERTIGTE
HOLZSKULPTUREN, BINT UND
NATUR FÜR DIE VERWÖHNTESTEN
KENNER!

GEDICHTE FRÖHLICHEN UND TIEF=
BETRÜBLICHEN INHALTS FÜR ALLE
LEBENSLAGEN!

WAND= SOWIE KLEIN= UND
REKLAMEGEMÄLDE IN VIELEN
FARBEN MIT DER HAND GEMALEN!

KÜCHENCHEF FÜRSCHABBATH
SOWIE FÜR ALLE FAMILIENFESTE!

AUF HENSCHEL KÖNNEN
SIE SICH VERLASSEN!!!

Selman Selmanagic
Heinz Schwerin
Internationales
Buero fuer:
        Hoch-
        Tief-
        Ladenbau
        Innendekoration
        Gartenanlagen
Modernste Ausfuehrung,
Billigste Preise
Spezialitaet: Ia Blumenkaesten

****
Sie brauchen Fotos?

Besuchen Sie mein Atelier
Sie werden zufrieden sein.

Ricarda Schwerin Jerusalem
Ben Jehudastr. 1

Da starke Nachfrage, wird
um vorherige Anmeldung
gebeten.
****

（Hannah Arendt）拍攝一系列的照片，她們是在納粹領導人阿道夫‧艾希曼（Adolf Eichmann）的耶路撒冷審判庭上認識而變得有名。施威林與鄂蘭偶然建立起友誼，而鄂蘭給丈夫亨利‧布呂歇爾（Heinrich Blücher）的信中寫道：「理卡達非常固執，可能要花好幾個星期讓她消除疑慮……而在耶路撒冷的生活，不貧困，但卻相當艱難……[她]幾乎不會說希伯來文，因此沉默地活著！」在來自布拉格的老朋友布呂歇爾的邀請下，施威林與鄂蘭還有其他人一起到希臘旅行；她被那裡的風景與歷史遺跡給震攝，且拍下相當多令人讚賞的旅遊照片，尤其受到哲學家卡爾‧亞斯佩斯（Karl Jaspers）的賞識。

在鄂蘭與布呂歇爾的協助下，施威林第一本攝影集《1969年耶路撒冷：搖滾時代》（in 1969, Jerusalem: Rock of Ages）終於由紐約的哈考特出版社（Harcourt, Brace & World）出版，且同時也由倫敦著名的出版商哈米什‧漢密爾頓（Hamish Hamilton）發行。其後，施威林的女兒珠塔將大量的家庭回憶錄出書，詳細敘述其母親受到的傷害，雖然那本書是與丈夫一起努力的成果，但在書名頁，她的名字被排的比伯恩海姆還小，在封面甚至被完全省略。施威林與很多包浩斯女性的命運一樣，與丈夫或其他男性合作所共同達成的專業項目成就，常不被適度地感激。然而，以色列最受尊崇的作者之一潔米馬‧切爾諾維茨（Jemima Tschernowitz）所著作的兩本受歡迎以色列童書中，使用了施威林的照片作插圖，讓她能享有知名度。

1974年阿爾弗雷德‧伯恩海姆過世，施威林便獨自經營攝影工作室，直到年事高到必須放棄為止。然而六十六歲的她，接受訓練成為導遊，直到1980年代，她帶著德語系與英語系的旅遊團遊遍耶路撒冷。1999年她在第一個曾孫出生後幾週過世。當時的珠塔在1960年就已離開以色列，投身於西德的改革中，以綠黨黨員身分選上聯邦議院議員（Bundestag），在一次的書信中，理卡達‧施威林曾這麼寫道：「沒有任何新事物了。開明的教養方式、女性解放、女性群體，這些當我在包浩斯時就已存在。」

左：亨茲和理卡達‧施威林為所提供的服務即興創作的宣傳單，耶路撒冷，約1935年。

最上：理卡達‧施威林，漢娜‧鄂蘭，耶路撒冷，1961年。

上：理卡達‧施威林，希臘之旅回憶。

葛雷特・史特恩 (Grete Stern)

第二次世界大戰後在美國，廣告以藝術型態崛起是一件司空見慣的事，特別是在紐約市時尚的麥迪遜大道上。但幾十年前，戰時的德國見證了消費文化與視覺科技的生成碰撞，所謂的視覺科技出現在有插圖的報章雜誌與廣告中，使得高品質的攝影照片隨處可見。就是因為身處影像豐富的環境中，使得包浩斯人葛雷特・史特恩 (Grete Stern) 與沃爾特・彼得漢斯 (Walter Peterhans) 的學生艾倫・羅森伯格 (Ellen Rosenberg，後改夫姓為奧拜克 [Auerbach])，這兩位密友開設了一家前衛派廣告工作室「林格爾 + 皮特」。她們於經濟大蕭條1930至1933年期間經營其工作坊，並以兒時綽號來命名；史特恩是「林格爾」，羅森柏格則是「皮特」。後來被嘲弄，如果她們把工作室取名為「史特恩與羅森柏格」，聽起來會像是猶太服飾的事業。她們如共同體一般的工作著，只在所有照片後面蓋上工作室的名字與標誌。到底是誰按下相機的快門來完成構圖製作，對她們而言是無關緊要的。

史特恩在烏帕塔 (Wuppertal) 出生，於1923到1925年間在斯圖加特的藝術暨工藝學校開始訓練，當時的教育即是以先進設計為基礎，影響最深的老師是曾在工藝聯盟接受培訓的平面設計師及印刷專家弗里德里西・施耐德勒 (Friedrich Schneidler)。她將大膽的繪畫元素與照片拼貼、文字與色紙結合在一起，作為新興航空產業的廣告草稿。1926年起，她開始在烏帕塔以獨立平面設計師的身分工作，在看過生平第一次的攝影展——愛德華・韋斯頓 (Edward Weston) 及保羅・奧特布里奇 (Paul Outerbridge) 在柏林的作品展後，她就搬到那裏學習攝影。在那裏認識有名的攝影師和前包浩斯學生烏伯 (奧圖・烏伯赫 [Otto Umbehr])，建議她去向沃爾特・彼得漢斯學習。她聽從烏伯的建議，於1927年成為他的第一位學生。1929年，彼得漢斯有了第二位學生，從喀斯魯 (Karlsruhe) 來的羅森伯格，而史特恩曾在喀斯魯向卡爾・休布希 (Karl Hubbuch) 一同學習並當他的模特兒，而卡爾的妻子希得 (Hilde) 不久後也加入包浩斯。史特恩協助將彼得漢斯的技巧教給羅森伯格。彼得漢斯後來成為包浩斯第一位全職的攝影教授，而史特恩於1930年四月跟隨他到德紹；其他一起去的學生包含格特魯德・阿恩特 (Gertrud Arndt) 與貝拉・優曼 (Bella

生：1904年五月九日，愛爾伯費爾德，烏帕塔，德國。

卒：1999年十二月二十四日，布宜諾斯艾利斯，阿根廷。

加入包浩斯：1930年。

居住地：德國、英國、美國、阿根廷、法國、希臘、以色列。

上：葛雷特・史特恩 (左) 於包浩斯。

右：葛雷特・史特恩，漢莎航空 (D.L.H.，Deutsche Lufthansa)，1925年。

Ullmann）。因為厭煩柏林與德紹間的通勤，彼得漢斯在1930年將工作室設備賣給史特恩，她用繼承到的一部分遺產來購買這些設備。因此「林格爾 + 皮特」誕生了。同時，史特恩在彼得漢斯底下繼續她在包浩斯的學習，剛開始在德紹，而1932年起在柏林，直到1933年學校結束為止。

史特恩如此描述彼得漢斯：「（他）教我對想重現的事物，在還未使用相機前就先構想如何創造影像。」彼得漢斯將此方法稱為「攝影視覺」，而這是「林格爾 + 皮特」作品的基礎。精心構圖、燈光設置與相機的配合免除了後製修圖。照片具有特別仿真的效果，因此接到模里西斯（Mauritius）攝影協會創辦人恩斯特・梅爾（Ernst Mayer）的委託進行照片庫拍攝，以服務不同客戶群，作為將來廣告之用。其他也為此協會工作過的攝影師包括路西亞・莫歐尼。此外，模里西斯攝影協會也會為特定的公司委任「林格爾 + 皮特」進行一些更具體的合約創作，例如，貝朵藍（Petrole Hahn）。

她們其中一張引人注目的照片，是一位優雅的女性坐在馬歇爾・布魯耶設計的凳子上，「林格爾 + 皮特」的這張照片成為具有影響力、雙語平面設計雜誌《商用藝術：國際廣告藝術》（*Gebrauchs-graphik: International Advertising Art*）的文章開頭，在特勞戈特・斯卡勒（Traugott Schalcher）於1931年所寫的一篇文章中，將她們直接封為此世代的先驅。斯卡勒解釋，這一對簡直就是讓廣告攝影技術更上層樓的代表。很多得獎攝影作品都是將物體自然地再現，而她們卻不倚重此藝術型態。

由儀器所捕捉、重現物體本身具有的自然渲染力，往往在修圖過程中被淡化，「林格爾 + 皮特」特別強調，她們的照片是從未修飾的。這種純粹純真的理論成為廣為人所接納的指標，攝影於是進入一個新局面。不再為東西拍下討人喜歡的照片，而是要讓照片有特色。已有不干預大自然的認知，且所有「美化」的動作只是削弱效果，變成「只是漂亮」的照片罷了。

1931年史特恩生日時，羅森伯格送給她一本林格爾-皮特相冊集，放滿她們為彼此所拍的照片——包含各種愚蠢的姿勢及穿著異性服裝的照片。她們的作品知名度越來越高，還贏得1933年比利時第二屆國際攝影暨電影展（Deuxième Exposition International de la Photographie et du Cinéma）第一名。1933年隨著國家社會主義黨得勢，羅森柏格與史特恩都不想冒險留在德國，即便她們的理性思維，與納粹剛開始號召的左派共產黨承諾較有關連，而非其猶太血統。她們將工作室關閉而分開；在史特恩貸款幫助下，羅斯柏格與情人沃爾特‧奧拜克（Walter Auerbach）前往以色列。在此同時，史特恩與包浩斯時期即認識的阿根廷攝影師情人奧拉西奧‧柯波拉（Horacio Coppola）前往英國，財產都沒帶走，卻帶走所有工作室的設備。在倫敦時，她與前包浩斯人史黛拉‧史帝恩（Stella Steyn）偶遇，為她拍攝一張令人難忘的肖像照，照片中的史帝恩非常漂亮且似乎半夢半醒（第185頁）。她也為其他流亡中的朋友拍攝肖像照，包括劇作家貝托爾特‧布萊希特（Berthold Brecht），與馬克思主義理論家卡爾‧柯爾施（Karl Korsch）。

　　史特恩與柯波拉於1930年代中期結婚，移民到阿根廷並迎來女兒西爾維亞，也在布宜諾斯艾利斯開了自己的攝影與廣告工作室，透過工作室認識知識份子和藝術家，為阿根廷的現代化攝影帶來巨大衝擊，這在2015年紐約現代藝術博物館展出他們的作品展中可以見到。1940年兒子出生，但這對夫妻卻在隔年離婚。史特恩繼續留在阿根廷，持續活躍於攝影圈。由於她對歐洲精神分析的了解，在核心精神分析家朋友的幫助下，於戰後的阿根廷宣傳她的方法。搭配上"Idilio"雜誌1948至1951年的「心理分析家能幫助你」（Psychoanalysis Can Help You）專欄文章，史特恩一系列命名為「夢想」（Sueños）的照片集首次亮相。跟「林格爾 + 皮特」的作品一樣，這些照片通常是有趣的，但卻證明了史特恩在心理分析領域的知識，以及傳達對於自身過去所遭逢之傷痛的熟悉感。第一個夢喚起了夢的荒謬感（一個弱小的夢幻女性變成了燈座），以及揭露出壓抑慾望的能力，一個看不見臉的男人企圖伸出手將她打開。1959年至1960年間，在史特恩的職業生涯晚期，她被邀請到查科省（Chaco Province）首府雷西斯滕西亞（Resistencia）的國立東北大學（Universidad Nacional del Nordeste）教學。四年後，她收到國家藝術基金會提供的講學獎金（Fondo Nacional de las Artes）來到此地區旅行；她以超過八百張的照片，記錄本地人民的生活、工作、傳統工藝與奮鬥。

　　廣告界先鋒「林格爾 + 皮特」的背景帶領我們回味麥迪遜大道及模里西斯的照片。恩斯特‧梅爾自身也必須撤離，他帶著三大箱裝滿照片的行李箱來到紐約。這些成為著名黑星（Black Star）攝影代理機構的根基，其客戶包含《生活》及《時代》雜誌。那些沒有攝影師的署名以及損壞太嚴重無法使用的照片都被丟棄了。艾倫‧奧拜克最後也在紐約定居，而她一輩子的好友史特恩於1972年拜訪她，前後到過英國、法國、希臘、以色列，還有自1933年就沒再回去過的德國旅行。1992年因為視力退化，已經放棄執業的史特恩曾這麼說過：「攝影帶給我極大的幸福。我學了很多，且能把我想說想展現的，都表現出來。」

TRAUGOTT SCHALCHER:

FOTOSTUDIEN
CAMERA STUDIES

ringl
+pit

(ELLEN ROSENBERG)
GRETE STERN

ringl + pit gehören zu den seltenen Photographen, die in ihren Werken außer den Tonwirkungen, außer dem körperbildenden Spiel von Licht und Schatten, auch die Linie in den Bereich ihrer Wirksamkeit ziehen. Das Gemüsestilleben mit seiner überaus sensibeln Zeichnung bestätigt dies besonders. Mit dem Sinn für Zeichnung verbindet sich eine frische Auffassung, die künstlerische Neugier, der Mut zu den eigenen kühnen Einfällen. Oder ist es etwa nicht verwegen, eine bekannte Dame aus der Gesellschaft (nicht etwa ein Modell) in großer Toilette, von hinten aufzunehmen, ohne Kopfwendung und damit doch ein ähnliches, elegantes

ringl + pit are among the very few photographers who study not only the tone effects, not only the play of light and shade which builds up the outward forms, but also the line itself. This care for line is especially apparent in the vegetable still life with its especially finely-felt lines. This feeling for line is bound up with freshness of conception, artistic curiosity and courage to carry out bold original ideas. Is it not daring to photograph a well-known society lady (by no means a mannequin) in full evening dress as a pure back view, without the least turn of the head and thereby to achieve a good likeness and a refined and original picture? Yet ringl

33

山脇道子（Michiko Yamawaki）

山脇道子（Michiko Yamawaki）可說是最具全球性的包浩斯女性，她與攝影師兼建築師丈夫山脇岩男（Iwao Yamawaki）一起環遊世界時，從日本來到包浩斯。他們在1930年秋天加入德紹包浩斯，在這裡度過路德維希．密斯．凡德羅當校長的最後兩年。山脇夫婦一起將日本概念帶入包浩斯的國際氛圍中，也在回到日本後成為包浩斯思維的主要導入者。他們帶回的不只是兩年的包浩斯經驗，還有包浩斯同伴製作的文案與物品，並與東京的藝術家、設計師及其學生共享。山脇夫婦皆成為東京新建築與設計學院的老師，這是一所非正式的日本包浩斯學校。

山脇道子在認識丈夫之前，對現代設計或建築接觸不多，但深受日本傳統藝術影響，像是從茶道大師的父親學習來的藝術美學。在與包浩斯第一次相遇時，她憑直覺發現包浩斯與日本藝術原則間深刻的共鳴。她在1995年撰寫的回憶錄《包浩斯與茶道》（Bauhaus to Chanoyu）中，有豐富的插圖照片描述形容，可惜的是這本書只有日文版。其中寫道：「茶道工具的機能性與包浩斯機能性是類似的，所有不必要的東西都被免除。在消除所有可能的浪費後所保留下來的元素，與彼此相互協調，呈現出的似乎才是最原始的樣貌。」

身為富裕家庭的高尚女性，山脇道子在十八歲時完成女子高中的學業，其後開始「新娘培訓」的課程，包含鋼琴、烹飪與家庭管理等。被安排與大十二歲的未來丈夫藤田岩男（Iwao Fujita）見面相親過幾次。與其被保護的成長背景，以及被安排跟岩男相親不同的地方是，道子的婚姻反而將她引入現代建築及設計的範疇，就是這兩項範疇促使他們到世界冒險。相較於其他包浩斯女性，某方面她是相當不尋常的：山脇道子一輩子只有一個名字。她選擇繼承叔叔成為此家庭之源頭，所以其婚姻的條件之一，就是要保留她的名字，而藤田岩男則改姓成為山脇岩男。

當他們於1930年五月初離開日本前往夏威夷時，山脇道子只有二十歲。他們旅行到加州，之後橫越美國到達紐約，在那裏住了兩個月。道子買了西式服裝，也違反母親特意快遞寄來的諄諄教誨，將長髮剪短。

生：1910年，日本。
卒：2000年，日本。
加入包浩斯：1930年。
居住地：日本、美國、德國、英國、荷蘭、義大利。

上：山脇道子包浩斯學生證。

右：山脇道子，瓦斯里．康定斯基的繪畫解析課研究，1930年，隨後被刊登於1933年八月號建築工藝／我看見全部（Aishi Oru）。

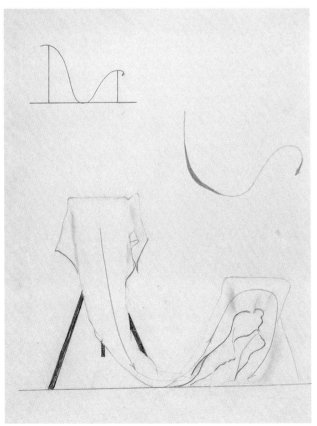

他們於1930年七月抵達柏林，聞名前往包浩斯，期望能入學。岩男敘述1920年代晚期日本對包浩斯的一切狂熱，在東京有年輕建築師為拉士羅・莫歐尼-那基的《新視野：從材料到建築》（*Von Material zu Architektur*）複本打架。在山脇岩男九月的申請信件寄出後幾天內，他就收到肯定的回覆，要求他在十月中前往德紹。跟很多包浩斯人一樣，山脇岩男在申請包浩斯前就已有一定的教育程度；他是受過訓練的建築師且有實際工作經驗，也是一位自學的攝影師。相較之下，山脇道子並無相關經驗。這可能能解釋她的入學通知似乎是後來被加在同一封信中，甚至連她的名字都沒提到：「隨函同時通知，在與負責人諮詢之後，你的配偶被允許進入包浩斯基礎預備課程試讀。」山脇道子學生證上的照片，是由丈夫所拍的漂亮特寫照，照片中的她將「日本現代女性」精神表現得淋漓盡致。為了幫助德國人能正確地叫出她的名字，她在學生證上寫著「Mityiko」。

山脇道子很快地在包浩斯就有所進展。她一學期修完喬瑟夫・阿伯斯（Josef Albers）的基礎預備教育課程，且喬瑟夫對她的作品讚譽有加，不只稱讚她對概念的直覺性理解，還有對材料使用的熟練度。同學期，她也修了康定斯基的繪畫解析，特別被他的張力概念所影響，表現在一幅1930年的畫作中，後來還在日本設計雜誌中重現。1931年三月，密斯・凡德羅特別致信給山脇道子，傳達她特例進入編織工作坊的訊息。他也建議她應該「密集地」磨練其語言能力，否則的話進階學習可能會益加困難。山脇道子後來回憶到，像康定斯基這些親切的教授，常在課堂後留下與這對夫妻複習課程中的觀念，有時候用英語溝通，因為他們英文比德文說的好。

在編織工作坊時，她的行程表詳細說明了一星期六天的課程，在工作坊二至六小時的課程間，還安排了阿伯斯的繪畫課、康定斯基的自由繪畫與研討班，以及喬斯特・舒密特的活版印刷。她也修了來自萊比錫的卡爾

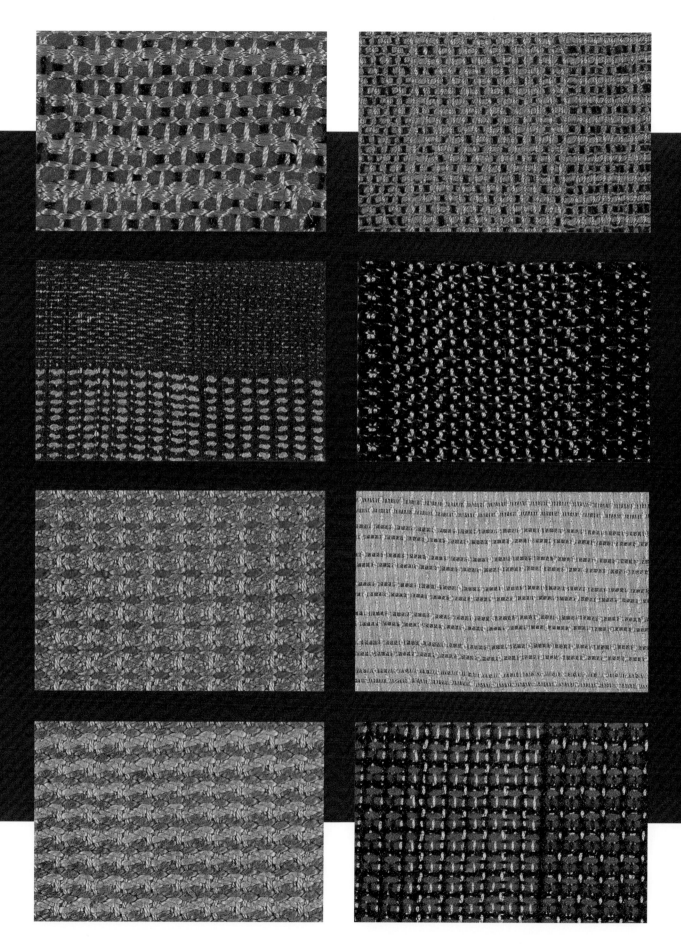

左：山脇道子，編織布料樣本。上排：毛毯，1931年。第二排：毛毯，1931年。第三排：毛毯，1931年（左）和窗簾，1932年（右）。最下排：毛毯，1931年（左）和毛毯，1932年（右）。此為全尺寸編織毯，於學期末展覽展出。

右：山脇道子，裝飾布料的設計草稿／壁掛，1932年。

弗萊德‧格雷馮‧德克海姆（Karlfried Graf von Dürckheim）教授在1930至1931學年開的格式塔（Gestalt）心理學課程，主要探討對物體與圖像的感知能力。當莉莉‧瑞希還是編織工作坊主任時，山脇主要的老師為崗塔‧斯托爾策爾和安妮‧阿伯斯。在某種程度上，她的紡織作品是包浩斯那時期的典型作品，帶有大膽的用色組合、編繡、材料，甚至包含玻璃紙條紋，再加上工業導向的生產模式。然而在工作坊內，顯然地她被認為帶有日本人本質，舉例來說，其包浩斯同學歐緹‧貝爵曾明確地如此評論她的用色。山脇所創作的抽象紡織樣式及設計，包含一張1932年色彩繽紛的地毯。她也經由其他方法創作，像是1931年在學期末展覽展出的裝配藝術作品《安全區域》（A Safety Zone）：一個令人覺得詭異的古代與現代、危險與安全的組合。

1932年當包浩斯被迫關閉，面臨是否遷校柏林的未知未來時，山脇夫婦決定回到日本。他們先到英國與荷蘭旅行，在荷蘭認識風格派（De Stijl）建築師約克布斯‧約翰尼斯‧彼得‧歐得（J.J.P. Oud），隨後從拿坡里搭船前往日

本，途中經過斯里蘭卡與香港。1932年十一月，康定斯基寫了一封信給山脇夫婦，表達他們夫妻倆對其離別禮物的感謝：「我們一直很讚揚日本物品的品味與精緻。」

1932年底回到東京，山脇夫婦搬進時尚銀座區內的一間兩層樓公寓；上層以運回的書籍物品重現包浩斯概念，這些物品包括兩台織布機、瑪麗安‧白蘭帝的金屬作品、歐緹‧貝爵的紡織料樣本，與馬歇爾‧布魯耶的家具。他們帶回的包浩斯書籍很快就被川北岡琦(Renshi-chir Kawakita)翻譯成日文，作為他剛創立的新建築暨設計學院教材。道子在時尚產業從事模特兒與設計師的工作；1933年，她在《日本攝影》(Asahi Camera)雜誌發表了以「融化的東京」(Melted Tokyo)為題，趣味的二十一張隨機取樣照片，於盛夏的銀座拍攝，捕捉城市居民傳統和現代的穿著。同年，資生堂畫廊主辦一場山脇道子手工編織作品展，其作品被陳列在包浩斯物品與照片圍繞的環境中。川北邀請山脇夫婦到學校任教，並在1934年初將編織加入學校課程中。學生們以「道子手搖紡織機」(Michiko Handloom)來稱呼她的發明，雖然簡單，但仍能創作出約二十種不同的樣式。但到了1934年七月底，她就停止教學，因為在秋天她的第一個小孩即將出生，而編織系就此關閉。

面臨高漲的民族主義與軍國主義，國際化中心思想的新建築暨設計學院被教育部強迫於1939年關閉，與包浩斯的命運相似。雖然如此，山脇夫婦後續歲月仍持續教學及設計工作，及發行能傳遞包浩斯歷史與概念的出版品，也在日本招待了一些重要的包浩斯成員，包括格羅佩斯。戰後，山脇道子在昭和女子學院(Showa Girls' College)及日本大學(Nihon University)教學。其教學的核心元素，即為直覺性的審美觀與包浩斯和日本傳統間的哲學連結。在1933年與設計歷史學家昌子亞希子(Akiko Shoji)的訪談中，她提倡：「不要模仿。你需要了解你自己。」但首先：「最重要的是要了解材料。」了解材料的真理在日本已行之有年；透過山脇道子的作品，此真理在包浩斯的旗幟下再度流傳。

「不要模仿。你需要了解你自己。最重要的是要了解材料。」

山脇道子。

右，山脇道子，《安全區域》，1931年。

下：山脇道子，融化的東京，刊登於日本攝影雜誌，1933年。

伊蓮娜‧布歐發 (Irena Blühová)

茱莉亞‧塞克雷納 (Julia Secklehner) 撰寫

「每一天都能為我的政治及專業作品帶來創作靈感。」伊蓮娜‧布歐發 (Irena Blühová) 如此思念著1931年春天開始在包浩斯度過的三個學期。身為斯洛伐克最知名的攝影師之一，布歐發曾在印刷與廣告工作坊學習，並將部分的包浩斯生活奉獻給共產主義大學生分部，成為其中一員從事激進政治活動。其政治與藝術成就皆由包浩斯經驗成形，因此感性地將包浩斯稱為「一個為了成為人而創造出人類的學校。」

出生於瓦赫河畔比斯特里察 (Považská Bystrica，現今斯洛伐克西北部) 一個龐大的猶太家庭，布歐發在早年即遭遇經濟困頓的生活。她的父親開了一家雜貨店，但在第一次世界大戰後再也無法支付女兒的學費，於是十四歲的布歐發開始了祕書與銀行行員的工作，以支付就讀文法學校的費用。1921年，時值十七歲年紀的布歐發加入捷克斯洛伐克共產黨，以對抗她自小見識到的貧窮。當她的家鄉捷克斯洛伐克共和國 (Czechoslovak Republic) 慶祝其進步的同時，布歐發卻身處農村地區的低度開發與經濟困境之中，這是她與共產黨青年團登山旅行時的所見所聞。在旅途中，布歐發開始把攝影當成嗜好。很快地，不只記錄其冒險之旅，也捕捉到沿路遇見的人們身影：乞丐、流浪漢、農村工人和殘障人士。布歐發以逼真的觀點將這些被拋棄之人的影像記錄下來，揭露他們極其骯髒的生活環境。在1929年她挺身而出，成為瓦赫河畔比斯特里察共產黨候選人後，工作的銀行以「違紀理由」將她調離至遙遠的基蘇察 (Kysuca) 村莊。比她出身的區域貧窮許多，但這區域卻激勵布歐發磨練其攝影技巧：「攝影，原本只是我的嗜好，卻成為對抗貧窮、剝削和不公義的最佳武器。」她後來如此寫道。到了1920年代晚期，布歐發的照片不只於議會辯論時被共產黨代表用來突顯社會上的不公義，也在像"DAV"這些革新的文化雜誌中佔有舉足輕重的地位。

在布歐發到包浩斯學習前的最激進的一張影像，是她在1929年為兒時朋友 (後來成為丈夫)，也是超現實主義畫家伊姆羅‧維納-克拉爾 (Imro Weiner-Král) 所拍攝的作品《滑雪板上的裸體》(nude on skis)。維納-克拉爾在雪覆蓋著森林的詩般場景前，用滑雪杖將自己支撐至半空中。陽光從背後灑落，描

生：1904年三月二日，瓦赫河畔比斯特里察，奧匈帝國 (現今斯洛伐克)。

卒：1991年十一月三十日，布拉提斯拉瓦 (Bratislava)，斯洛伐克。

加入包浩斯： 1931年。

居住地： 斯洛伐克、德國、捷克共和國。

「藝術……如果有益於改變人類，使人往前邁進，那就是藝術。」

伊蓮娜‧布歐發。

右：「洛特」(Lotte，伊蓮娜‧布歐發)，1931年。茱蒂‧卡拉絲拍攝。

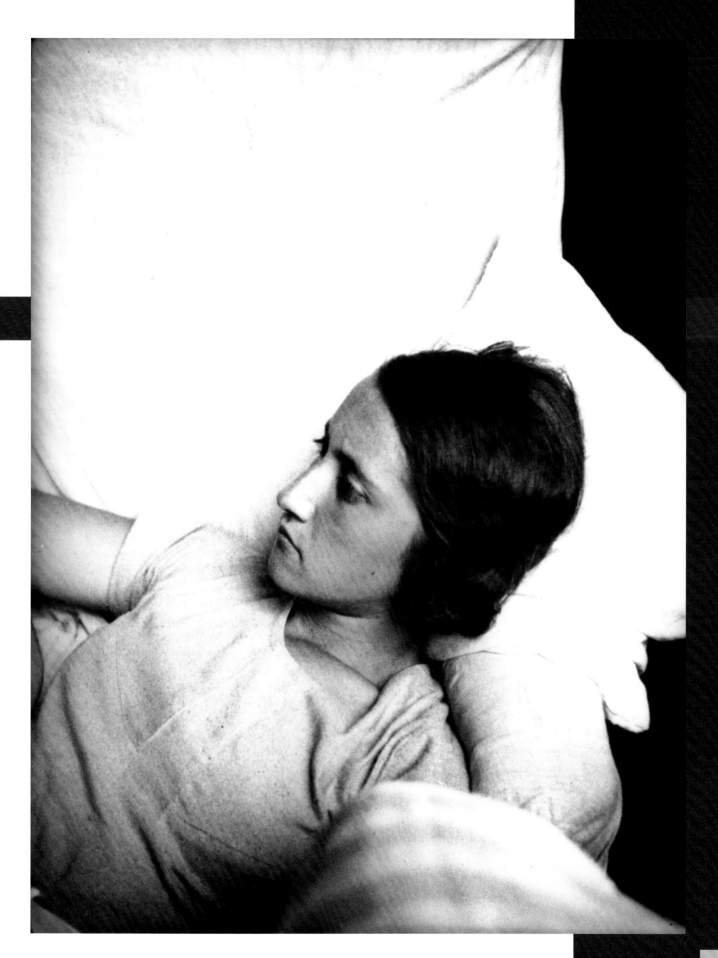

繪出其健壯的身形，而他的跳躍姿勢為這照片添加
詼諧的元素，這是這對情侶一起構想的畫面。如影
像所示，布歐發將常見的藝術家、模特兒關係完全
改變，創造出斯洛伐克第一張由女性拍攝的男性裸
體照片。

布歐發的攝影技巧是自學而來的，因對現代藝
術與文化感興趣而強化其技巧。布歐發於成長過程
中學會斯洛伐克語、匈牙利語及德語，並接觸到各
種領域的文學作品。與維納-克拉爾一起在假日遊
遍歐洲，建立起朋友網絡，提供她不同的文學作品
以「保持流行」，同時也激起到包浩斯學習的欲望；
1927年五月，她在《法蘭克福日報》讀到伊利亞·
艾倫堡 (Ilya Ehrenburg) 描述參訪德紹包浩斯的文章後，布歐發認真地調查
此學校。得知包含拉士羅·莫歐尼-那基、保羅·克利與瓦斯里·康定斯
基等若干包浩斯教授，在1926年貢獻作品給國際工人救濟會 (International
Workers' Aid, IAH)，而當時的校長漢斯·邁耶承諾支援國際工人救濟會的
活動，以聲援英國礦工，布歐發便深信德紹是非常適合她前往學習的地
方。對她而言，包浩斯依舊是「非常高水準的地方，無論是在藝術及教育
領域，或是其人道主義、同理心與團結方面。」

布歐發於1931年春天抵達包浩斯，她的正式教育從喬斯特·舒密特
(Joost Schmidt) 的基礎預備教育開始，在那之後加入印刷與廣告工作坊，
修習舒密特的印刷課程和沃爾特·彼得漢斯的攝影課程。工作坊訓練她
使用印刷排版來做宣傳文宣，也加強了她自學的技巧。因為彼得漢斯，
布歐發埋首努力於攝影構圖，並以不同的形態來探索光線的效果來創作
作品。

布歐發的技巧並非只在課堂中研究出來。當她記錄包浩斯生活不同
樣貌時，相機是她不變的伴侶。在午休時，布歐發將兩張底片結合在一
起。第一張底片中，兩位學生在午餐時間坐在桌邊，而第二張是一張覆
蓋上去的底片，另一位學生正在睡覺，創造出像作夢般雙層的影像。如
此嬉鬧式的攝影手法，與布歐發1920年代的紀錄式影像大相逕庭，但她
仍舊專注於人與日常生活上。布歐發捕捉生命的影像如同她所看到的一
樣，因身為社會攝影師而使其作品忠於原味。

在其包浩斯作品中，布歐發好幾次都使用底片重疊技巧，其中包括
一些個人的照片，像是《包浩斯重疊底片實驗》(Experiments with Two Nega-
tives at the Bauhaus)。雖然照片標題強調的是技巧的使用，但這些包含維
納-克拉爾和自己重疊的肖像照照片，卻讓人得以窺見攝影師的私生活。
維納-克拉爾的照片是布歐發所拍，而她自己的則是由同學希得·休布希

上：伊蓮娜·布歐發，伊姆羅·維
納-克拉爾於滑雪板上，1929年。

右：伊蓮娜·布歐發，包浩斯學
生的午休，1931-1932年。照片裡
的學生為：佐·馬科斯-奈伊 (Zsó
Markos-Ney)、理卡達·施威林
和佩姬·赫斯 (Peggy Hess)。

右下：伊蓮娜·布歐發，《包浩斯
重疊底片實驗》，1931-1932年。

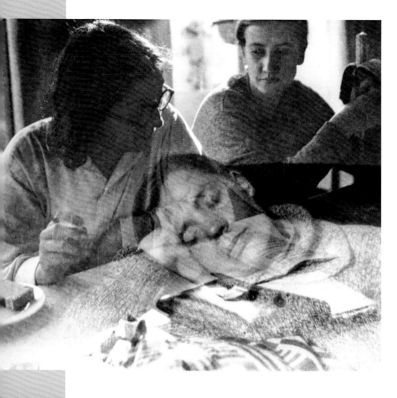

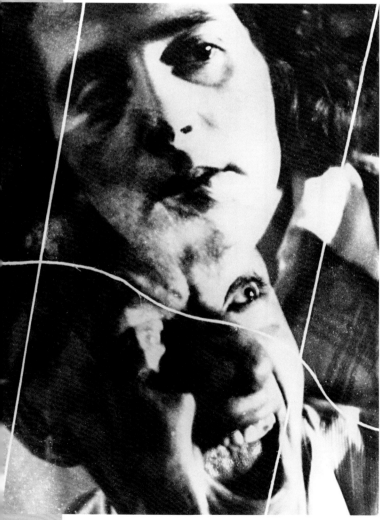

（Hilde Hubbuch）拍攝。最後照片的重疊視覺影像也為維納-克拉爾的藝術手法下了註解，身為畫家深知如何經由對超現實主義的理解展現視覺效果，於此同時展現布歐發的構圖手法，並與其他學生合作而使用其照片。再再證明包浩斯給予她實驗的自由，以展示其藝術上與對社會議題的關注。

布歐發的模特兒不局限於包浩斯的學生與老師。《包浩斯行政人員》（Service Woman at the Bauhaus）展示一位年輕女性的特寫照，有其獨特的創作形式，與學生們互拍的影像相似。然而，布歐發只在照片標題提及其職業，刻意讓這位女性匿名，布歐發上揚的拍攝角度將她的拍攝對象轉化成體力勞動者的崇拜對象。《包浩斯前的馬車夫》（Wagoner in Front of the Bauhaus）作品中，布歐發藉著未拍攝頭的手法，讓身體不具名。與《包浩斯行政人員》一樣，此作品再次證實布歐發絕不會拋棄早年的勞工階級主題。她反而提升並將他們融入到新環境中，讓體力勞動與最現代化的包浩斯連結。

布歐發在當地的容克斯（Junkers）飛機引擎工廠的工人宿舍中租了一個房間，每天與學生和工人都有所接觸。身為共產主義大學生分部的成員，布歐發與容克斯的工人一起上街遊行，反抗崛起的國家社會主義黨。甚至為工人的孩子們，與共產主義大學生分部的同學茱蒂‧卡拉絲（Judit Kárász）和理卡達‧施威林策畫一起到柏林。布歐發與共產主義大學生分部從事的活動相當多樣化，從她的寫作與訪談中可得知，共產主義大學生分部在她的包浩斯生涯中扮演相當重要的角色，儘管在1930年包浩斯校長密斯‧凡德羅已經禁止所有政治活動，此團體必須非法運作，卻未有效威嚇學生，他們仍參與遊行，與容克斯工人一起策畫活動、發送傳單，持續製作他們自己的雜誌《包浩斯：共產黨學生的擴音筒》（bauhaus: megaphone of the communist students）。布歐發也擔任受歡迎的共產黨插圖雜誌《工人畫報》（Arbeiter Illustrierte Zeitung，AIZ）的發行人，為不同於浮誇的中產階級雜誌左傾派以提供民眾選擇。

伊蓮娜‧布歐發，《包浩斯前的馬車夫》，
1931年。

　　1932年布歐發突然被共產黨召回捷克斯洛伐克，貿然中斷了她
的學習，但《工人畫報》則持續發行。她為波西米亞北部利貝雷茨
(Liberec) 的龍格出版公司 (Runge & Co.) 工作好幾個月並發行《工人畫
報》，之後於布拉提斯拉瓦 (Bratislava) 開了自己的書店。雖然這家店
以布歐發的名字取名為「布書店」(Blüh kníhkupectvo)，實則作為威利‧
明岑貝格 (Willi Münzenber) 所擁有的共產主義媒體集團共產國際 (Com-
munist International) 的分支。這間店的主要目的在於支援奧地利、匈
牙利與德國的共產黨員，在這些國家共產黨是個違法的機構，書店發
行共產黨文宣，並為黨內當地與國際知識份子舉行集會。1934年，布
歐發也參與創建政治宣傳用的劇場組織「斯洛伐克、德國及匈牙利工
作坊」(Dielňa -Werkstatt-Mühely)，籌畫布拉提斯拉瓦內的左派史實紀
錄展，同時也展示其匿名的社會紀錄照片集，作品上僅署名「社會照
片」(Soziofoto)。

伊蓮娜‧布歐發，《包浩斯行政人員》，1931年。

在布拉提斯拉瓦時，布歐發再次將她的攝影焦點轉移到當地環境上。她創作了一系列的攝影集，包含一張女性種植煙草勞動時的照片。她也繼續藉由其照片集表達產業中工人階級的飢餓與貧窮，並直接評判資本主義帶來的不良結果；這些作品自1932年起被匿名印製成幾本雜誌的封面，其中也包括《工人畫報》。

1938年，布歐發短暫地在布拉提斯拉瓦的藝術暨工藝學校修卡羅‧普利奇卡（Karol Plicka）中的電影課程重新學習，因其教學方法類似，此學校被稱為「布拉提斯拉瓦包浩斯」。一年後，此校因為第二次世界大戰爆發，且斯洛伐克成為納粹附屬地而關閉。布歐發其後加入地下反抗組織。1942年，她的身分被納粹間諜發現，在戰爭期間以假名埃琳娜‧菲舍爾（Elena Fischerová）躲藏起來，家族中很多人，包含父親莫里茨都在猶太大屠殺（Holocaust）中死亡。

隨著捷克斯洛伐克共產國家的建立，布歐發開始以教師身分工作，且創立和管理布拉提斯拉瓦的出版社「真理與斯洛伐克教育文庫」（Pravda and the Slovak Educational Library）。同時，她也發行了幾本童書。在1970年所謂正規化年代，讓她一舉成為「嫌疑犯」之後，她對共產黨的政治奉獻最終以理想破滅結束。然而其強烈的社會承諾仍存在，於是她繼續教學，為殘障的小孩服務。

數十年後，布歐發於1983及1986年在威瑪舉行的第三與第四屆國際包浩斯學術研討會中，和包浩斯重新相聚。那時起，從布歐發的寫作中顯露出包浩斯持續對她的作品與思維造成影響。1983年她曾寫道：「藝術……如果有益於改變人類，使人往前邁進，那就是藝術。那些創立包浩斯、代表包浩斯的人深知如何融合藝術與生活、生活與藝術。在我們心中，包浩斯永遠存在！」

茱蒂・卡拉絲（Judit Kárász）

茱莉亞・塞克雷納（Julia Secklehner）撰寫

1931年春天，當時只有十八歲的茱蒂・卡拉絲（Judit Kárász）抵達德紹包浩斯，在此之前，她已在巴黎的攝影專業學校（L'École de la Photographie）研修六個月的時間。茱蒂・卡拉絲出生於匈牙利斯格德（Szeged），在青少年時期即對攝影感興趣。她來自一個於1920年代中期社會攝影就已廣泛流傳的國家，到了1930年代，卡拉絲就已成為最重要的代表人物之一。

在德紹時，卡拉絲修完喬斯特・舒密特及瓦斯里・康定斯基的強制性基礎預備教育後，就開始向沃爾特・彼得漢斯學習攝影。她接受了一連串緊密的題材研究，由此也找到自己偏愛的攝影角度：由高處拍的「鳥瞰」。卡拉絲有少數幾張肖像照，其中一張照片中有她與一位未知的男性友人，視角被巧妙地翻轉了：中性的運動服飾與頭髮剪得很短的年輕攝影師，正從上方往下看著相機。

卡拉絲在基礎預備課程與攝影課的其中一位共同同學即為伊蓮娜・布歐發，比她年長八歲且是位有經驗的共產黨激進份子。布歐發和卡拉絲不只一起上課，卡拉絲很快就加入共產主義大學生分部，當時布歐發已是成員之一。兩位女性的緊密連結，在卡拉絲為布歐發所拍的幾張照片中可清楚看出一些照片記錄布歐發在學生宿舍休息及發送共產主義《工人畫報》（*Arbeiter Illustrierte Zeitung*，AIZ），有些則是熟悉的特寫照。

卡拉絲的共產主義大學生分部成員身分也是她提早離開德紹的原因。她在印刷共產主義文宣時被抓，因此她在1932年三月被學校開除而前往柏林，以實驗室助理身分為迪佛特（Dephot）通訊社工作。同時，她專注於呈現社會激進主義的攝影作品，並記錄社會最貧窮階級的生活。在這方面她創造極大的成功：1933年八月，在布達佩斯的社會攝影展中，有一整個房間都是展出她的作品。

隨著第二次世界大戰的開始，因為其猶太身分，卡拉絲必須躲藏起來。她逃到丹麥伯恩霍爾姆（Bornholm）與愛人漢斯・亨利・雅恩（Hans Henny Jahnn）及其家人同住，於1949年回到當時為共產國家的匈牙利。卡拉絲在那裏度過餘生，擔任布達佩斯藝術暨工藝博物館的攝影師。但於1977年五月確診得到癌症後自殺。

生：1912年五月十二日，
　　斯格德，奧匈帝國（現今
　　匈牙利）。

卒：1977年五月三十日，
　　布達佩斯，匈牙利。

加入包浩斯：1931年。

居住地：匈牙利、法國、德國、
　　　　丹麥。

左上：茱蒂・卡拉絲，1931年。

右上：茱蒂・卡拉絲，應用藝術博物館穹頂重建工程，於1956年革命中毀損，1958年。

右：茱蒂・卡拉絲，閱讀中的男人（正在等工作的挖掘工人），1932年。

希得·休布希 (Hilde Hubbuch)

攝影師希得·休布希 (Hilde Hubbuch) 在1971年於紐約市過世，死的時候沒有任何繼承人。她的故事與作品隨著時間流逝幾度成為焦點，剛開始她是一位藝術家的靈感來源，後來憑自身的能力成為藝術家，她所留下的足跡，可以瞥見一位活躍有智慧、不循規蹈矩的女性，成為包浩斯最重要的人像攝影師之一。攝影師的訓練在她從納粹德國離開前往維也納，其後到紐約市的期間，提供了她一個專業謀生之道。

希得·伊歇 (Hilde Isay) 在1905年一月十七日於德國特里爾出生，是一個經由銀行業與布料買賣賺得財富的猶太家庭中唯一的小孩。二十歲時離家前往地區性的美術學校喀斯魯學院 (The Karlsruhe Academy)，加入1925-1926年冬季班。其繪畫教授為畫家卡爾·休布希 (Karl Hubbuch)，新客觀主義 (Neue Sachlichkeit) 運動的主要人物之一。同為畫家的喬治·肖爾茨 (Georg Scholz) 曾講過，希得·伊歇保守古板的父親相當關心她的一舉一動，甚至找上阿格斯偵探社雇用一位偵探跟蹤她；他發現伊歇跟教授同處於威斯巴登一間旅館房間內。兩人迫於壓力於1928年初結婚，很顯然地至少在剛開始過得很快樂。他們共用的工作室部分以包浩斯的管狀金屬家具來裝飾，卡爾在1929年的作品《四次希得》(Viermal Hilde) 中，將希得化身為不受拘束的新女性。然而，希得是否在認識卡爾前就開始攝影則無從得知，但可肯定的是，他們在一起後，希得·休布希就獨自或夥同丈夫，以大鏡子自拍的喜劇性系列照片中實驗攝影技法。他們使用的中片幅相機，評論家卡琳·科斯奇卡 (Karin Koschkar) 鑑定是蔡司-伊康Cocarette I Lux 521/2，當時手提式相機的最新款，且透過卡琳的研究，得知了希得·休布希最完整的生活與作品紀錄。希得·休布希也曾在巴黎拍攝，可能是在1930年代初期與卡爾的旅行中拍的，也為他們的波西米亞藝術式生活創作照片，其中還包含其丈夫偏好為裸體模特兒所拍攝的照片。

1931年初，希得和卡爾·休布希參觀設計製作他們現代化家具的學校包浩斯。被此校深深打動，希得·休布希決定註冊1931年夏季班；她被列為攝影工作坊的旁聽生 (Hospitant)，並另外研修實踐研究、藝術設計和印刷。

生：希得·伊歇，1905年一月十七日，特里爾，德國。

卒：1971年十月二十四日，紐約，美國。

加入包浩斯：1931年。

居住地：德國、法國、奧地利、捷克斯洛伐克(現今捷克共和國)、英國、美國。

上：希得·休布希，1931年。伊蓮娜·布歐發拍攝。

右：希得·休布希，未命名（靜物照包含石膏手臂、網狀保護罩及照片），1931／1932年。

希得本身就是一位有經驗的攝影師，她學得很快也達成彼得漢斯要求的高技術水準。1931年或1932年所作的超現實題材研究，在其景深效果中達成完美的聚焦。在構圖的下半部，放滿散落與捲縮的照片印刷及片斷，可能是休布希所拍的寫真、室內照與街景，還有一顆木製的蛋被安置在其中。另外引人注目的上半部，是以一隻像要抓住東西的石膏手臂，往照片方向伸長，但本身卻受困在網狀保護罩下，就此平衡了照片全體的混亂感。構圖中心往左一點，就是休布希自己的小張側面照，處於混沌中的堅忍之人。

休布希很快地成為技術嫻熟的肖像攝影師，以新穎的角度拍攝臉部及身體；特別值得一提的是其令人關注的現代女性影像。其中一張展示一位時髦卻又認真的包浩斯人站在格紋背景前的側面照——可能是在課堂上進行淺景深攝影練習。另一張照片中，模特兒穿著暴露的晚禮服，看似脆弱卻又無法進入其內心深處。但從長裙、無袖寬鬆服裝及短髮上閃亮的貝雷帽推測，她可能是為了有名的包浩斯荒誕派對所做的裝扮。這兩張女性的照片以不同的方式清楚地展露出新鮮感：第一張以近乎藐視的認真態度展現，第二張無疑地擁有其性感吸引力。休布希在包浩斯社交圈部分是由政治化的攝影師同學所組成，女性友人則包含伊蓮娜·布歐發。她們兩人互相為彼此拍照；在僅存幾張布歐發所拍的休布希肖像照中，展現其不同的樣貌。1932年所拍攝的一張照片中，休布希將自己打扮成專業的模樣，也許是一張用來應徵工作的

照片。

　　顯然休布希對取得包浩斯的學位文憑不感興趣，她似乎一直維持著旁聽的身分，根據攝影歷史學家珍琳‧菲德勒（Jeannine Fiedler）的研究，1932年夏天的出勤表中，彼得漢斯將她註記為拒絕考試。德紹包浩斯於1932年十月關閉，休布希離開後跟隨其母親前往維也納，為參與社會活動的麥克斯‧弗（Max Fau）通訊社工作，擔任攝影師。在那段期間，希得‧休布希仍與卡爾保持婚姻，但關係相當複雜，一部分是因為卡爾與其他女人有外遇。他們在1935年離婚，離婚後似乎仍保持朋友關係；1936年她還從布拉格寄了一張明信片給卡爾，希得曾為了替通訊社拍攝傳統東歐的街景照搭公車到那裏。

　　1936年，因為母親過世以及納粹在奧地利獲得越來越多支持，休布希決定離開維也納，前往叔叔居住的倫敦。她在那裏生活的情形無從得知。1939年一月，在三十四歲生日前不久，她從南安普敦搭船前往紐約，當時提供給政府當局的名字是「希得‧休布克」（Hilde Hubbuck）。1940年四月開始，她就出現在美國人口普查紀錄上，是紐約的一名承租人、戶長、離婚、職業為攝

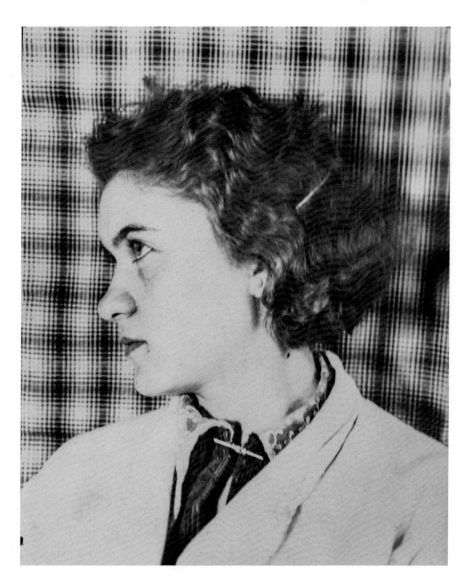

影師。她在1945年文學雜誌《紐約客》（The New Yorker）中刊登她所提供的服務「兒童攝影的現代方法」（Modern Approach to Child Photography）。休布克也是一名社會肖像攝影師；小說家諾曼‧梅勒（Norman Mailer）與威廉‧孝恩（William Shawn）都是她的客戶，孝恩擔任紐約客編輯長達三十五年，在大眾面前容易感到不自在是眾所皆知的，特別是在攝影師面前。一張1952年的照片，休布克捕捉到他快樂沉思的時刻，證明她與拍攝對象已建立信任關係。

　　希得‧休布克在紐約度過餘生，但也曾回到歐洲幾次，在1971年以六十七歲年紀過世之前，於1962年甚至到喀斯魯拜訪卡爾‧休布希和他的第二任妻子艾倫。她的照片作品被保存在柏林的包浩斯博物館（Bauhaus-Archiv）、洛杉磯的蓋蒂中心（Getty Museum），以及紐約的現代藝術博物館館藏中。最後的這些館藏包含兩張卡拉‧葛羅許和她的新任丈夫巴比‧艾興格爾的動人照片（第121頁），在她離開德國前往巴勒斯坦卻不幸早逝前所拍攝。

史黛拉・史帝恩（Stella Steyn）

　　包浩斯中唯一的愛爾蘭人史黛拉・史帝恩（Stella Steyn）於動亂的1931至1932年間就讀。1920年代晚期，在巴黎她已經是位成功的畫家，為詹姆斯・喬伊斯（James Joyce）的《芬妮根守靈》（Finnegan's Wake）繪製插畫，更與都柏林人薩謬爾・貝克特（Samuel Beckett）有一段外遇關係。時值二十出頭的年紀，史帝恩為尋求新挑戰而申請當時歐洲最知名的學校包浩斯。被錄取後，於1931年七月開始學習。第一個學期上了喬瑟夫・阿伯斯的基礎預備教育課程後，她便摒棄了先前奇異的野獸派畫風，轉而支持學校的建構主義，以及學生享有想法被尊重的特權，也支持重現藝術家手中的情緒交織。她完成了一系列使用鮮豔色彩壓印的畫作，經由玩樂激盪出工業性的現成元素。

　　一張史帝恩製作的拼貼畫完全應用包浩斯平面設計的做法（見右頁圖），按透視法縮小但又強而有力，此構圖只運用了一些顯著元素——底色、有軌電車、軌道與司機——已完整表達戰時市區現代交通的效率。然而，史帝恩也導入同時期的英國裝飾風藝術商業製圖的要素。司機員帥氣的帽子被戴在專注的臉龐上，史帝恩只敏捷地用幾條線條組成此臉；藉由這種方式表達出當軌道車搖晃行駛在城市間時，只能短暫地瞥見司機員。

　　她在包浩斯度過的那一年，是此校強烈動盪的一年，同時也是德紹時期的尾聲。包浩斯的第三位，也是最後一位校長密斯・凡德羅無法從當地納粹黨手中保住學校，此校被視為是外國影響力與非德國倫理的堡壘。納粹黨在1932年贏得德紹的選舉時，率先執行的業務命令之一，就是將包浩斯踢出德紹市。史帝恩也離開了，並從此離開德國。她後來宣布與包浩斯斷絕關係，並宣稱此為「錯誤的一步棋，將當時德國境內對政治的關注，以及將我永久轉向有其傳統基礎繪畫的影響之外。」

生：1907年十二約二十六日，都柏林，愛爾蘭。

卒：1987年七月二十一日，倫敦，英國。

加入包浩斯：1931年。

居住地：愛爾蘭、法國、德國、英國。

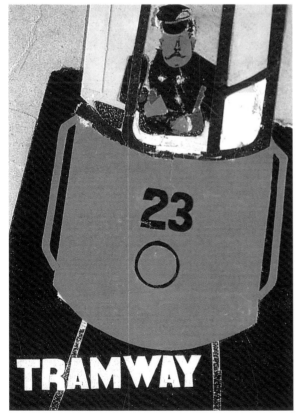

上：史黛拉·史帝恩或「倫敦女士」，
1934年。葛雷特·史特恩拍攝。

左：史黛拉·史帝恩，電車軌道，約
1931-1932年，紙上拼貼畫。

　　在她之後的旅行中，偶然遇到包
浩斯同學葛雷特·史特恩──「林格爾
＋皮特」攝影工作室的其中一位創立者
──當她們1934年在倫敦再次碰面時，
史特恩為史帝恩拍下極為漂亮的肖像
照。史特恩捕捉到史帝恩斜躺在大片奢
華布料中的姿態，令人難忘的是眼睛半
閉的表情，如此她看來似乎順從卻又保
持警戒。妝容時髦近乎完美，在那凍結
時刻，史帝恩就是位超現實美女，正值
歐洲大陸國際性與實驗性的文化，被陰
森逼近的法西斯主義刨除而漂泊之際。

莉莉・瑞希（Lilly Reich）

時至今日，這個問題似乎變得很奇妙：包浩斯在納粹政權下還能繼續嗎？當時包浩斯最後一任校長路德維希・密斯・凡德羅的情人，最後包浩斯教師會中唯一女性莉莉・瑞希（Lilly Reich），與瓦斯里・康定斯基有著同樣想法。歷史告訴我們這個想法是沒有答案的。儘管如此，從那時起，至少鑒於是間接與納粹宣傳有關聯的各種活動，瑞希對法西斯政權的懷疑立場卻一再地出現。與密斯・凡德羅不同的是，1934年她並未簽署具爭議的聲明書（Aufruf der Kulturschaffenden），德國很多藝術菁英曾簽署以宣告他們對希特勒的忠誠。然而在1933年，她卻贊成德意志工藝聯盟（Deutscher Werkbund）的納粹化，且於後續幾年，頻繁地在納粹政權的宣傳展覽中扮演重要角色。

然而瑞希身為革新的設計師之功勞是無庸置疑的；甚至是在第一次世界大戰前，她就以室內設計師身分有其成就，在1920年，她成為德意志工藝聯盟董事會中唯一的女性，接受維也納工作坊（Wiener Werkstätte）喬瑟夫・霍夫曼（Josef Hoffmann）的訓練。她早在1911年於柏林設立自己的工作坊，從事室內設計、裝飾藝術與時尚工作，與朋友赫曼及安娜・穆特休斯（Anna Muthesius）一起，瑞希以德意志帝國最後幾年所流行的美學革命氛圍，提升了當代居家生活。戰後，她與新客觀主義建築師費迪南德・克萊默（Ferdinand Kramer）一起度過教育性旅程，而於1924年，在法蘭克福開了一間工作室，為當地貿易展協會參展。因為這樣的角色，她也在密斯・凡德羅的指導下，代表參加1927年斯圖加特的工藝聯盟展覽「公寓」（Die Wohnung）；後來，她接到有利潤的委託案，便搬回柏林。瑞希也在1929年巴塞隆納世界博覽會與1931年德意志建築博覽會中相當活躍。現在普遍認為，她至少對密斯・凡德羅的經典設計有概念上的貢獻，包含巴塞隆納椅，因為她很多鋼管的家具設計都被保存下來。

隨著密斯・凡德羅在1930年被任命為包浩斯校長，他的妻子似乎必然會加入教師群。1932年一月，瑞希成為室內設計系和編織工作坊的主任，學生們對這樣的變動有相當多意見，認為她趕走他們最愛的歐緹・

生：1885年六月十六日，柏林，德國。

卒：1947年十二月十四日，柏林，德國。

加入包浩斯：1932年。

居住地：德國、美國、奧地利。

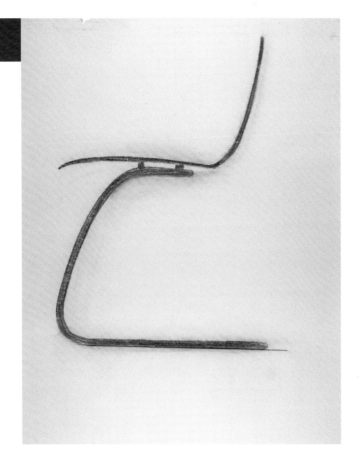

貝爵。瑞希本身並不是一位受過訓練的編織者，她將教學目標轉變成印花布料的設計樣式，以符合密斯·凡德羅的新指導方針。雖然瑞希拒絕了一些極富聲望的工作邀約，例如管理位於慕尼黑現今的德國時尚大師學校（German Master School of Fashion），然就某方面而言，她一直都只是校長的伴侶。壁畫工作坊主任希納克·薛佩爾（Hinnerk Scheper）將瑞希形容成是「一位冷酷又奸詐的女性」，對他人一點都沒有同理心；然而，這是薛佩爾在一次與瑞希爭論後，為自己在包浩斯的未來所進行之財務上及政治上奮鬥時做出的評價，因為金屬、家具及壁飾工作坊皆隸屬於室內設計系，瑞希立刻成為他的直屬上司。

後來，瑞希優雅又精緻的設計在納粹德國大受歡迎，這就是為什麼她在1934年被派任負責「德國人民——德國作品宣傳展」（Deutsches Volk——Deutsche Arbeit）。雖然她與密斯·凡德羅在1930年代中期就已分開，兩人仍一起為柏林與巴黎的大規模紡織布料展做規劃設計，但在1930年代晚期，委託兩人服務的需求量大大減少。在芝加哥拜訪流亡中的密斯·凡德羅後，她於1939年再次回到德國。據她自己的敘述，這是為了他們兩人的利益，為了要捍衛共有的版權。戰時，因為工作室在1943年一次同盟軍空襲中被摧毀，她受雇於包浩斯之前的學生恩斯特·諾伊費特（Ernst Neufert），他是曾任帝國軍備和戰爭生產部長的亞伯特·史佩爾（Albert Speer）的標準化人員。瑞希在戰爭結束後不久就過世了，無緣幫助德意志工藝聯盟的重建。

左上：莉莉·瑞希（前）和安瑪莉·威爾克（Annemarie Wilke）與包浩斯前學生外出郊遊，柏林，1933年。

右上：莉莉·瑞希，內襯衣（Unterwäsche），約1922年。

上：莉莉·瑞希，椅子設計，約1931年。

一般參考資料

大部分提到包浩斯女性的文獻，並沒有專注在性別議題上。然而，下列的文選摘錄了一些學術資料，這些資料至少在一部份直接提到包浩斯女性。

Bauhaus-Archiv, eds. *Bauhaus Global: Gesammelte Beiträge der Konferenz Bauhaus Global vom 21. bis 26. September 2009.* Berlin: Gebr. Mann, 2010.

Baumhoff, Anja. *The Gendered World of the Bauhaus: The Politics of Power at the Weimar Republic's Premier Art Institute, 1919–1932.* Frankfurt a.M.: Peter Lang, 2001.

Baumhoff, Anja. "What's in the Shadow of the Bauhaus Block? Gender Issues in Classical Modernity." In: *Practicing Modernity: Female Creativity in the Weimar Republic.* Christiane Schönfeld, ed. Würzburg: Köningshausen & Neumann, 2006.

Budde, Christina, Mary Pepchinski, Peter Cachola Schmal, and Wolfgang Voigt, eds. *Frau Architekt: Seit mehr als 100 Jahren, Frauen im Architekturberuf.* Tübingen: Wasmuth, 2017.

Droste, Magdalena, and Manfred Ludewig, eds. *Das Bauhaus webt: Die Textilwerkstatt am Bauhaus.* Berlin: Bauhaus-Archiv, 1998.

Droste, Magdalena: *Bauhaus: 1919–1933.* Cologne: Taschen, 2011.

Fiedler, Jeannine, Peter Feierabend, and Norbert Schmitz, eds. *Bauhaus.* Cologne: Könemann, 1999.

Günter, Melanie. *Die Textilwerkstatt am Bauhaus: Von den Anfängen in Weimar 1919 bis zur Schließung des Bauhauses in Berlin 1933.* Saarbrücken: AV Akademikerverlag, 2008.

Hansen-Schaberg, Inge, Wolfgang Thöner, and Adriane Feustel, eds. *Entfernt: Frauen des Bauhauses während der NS-Zeit, Verfolgung und Exil* (Frauen und Exil, v.5). München: Edition Text & Kritik, 2012.

Hildebrandt, Hans. *Die Frau als Künstlerin.* Berlin: 1928.

Müller, Ulrike. *Bauhaus Women: Art, Handicraft, Design.* Paris: Flammarion, 2009.

Otto, Elizabeth, and Patrick Rössler, eds. *Bauhaus Bodies: Gender, Sexuality, and Body Culture in Modernism's Legendary Art School.* New York: Bloomsbury Academic, 2019.

Stutterheim, Kerstin, and Niels Bolbrinker, Dirs., Film. *Bauhaus Modell und Mythos.* 1998/2009, absolutMedien GmbH.

Vadillo, Marisa. Las diseñadoras de la Bauhaus: Historia de una revolución silenciosa (El árbol del silencio) (Volume 7). Córdoba: Cántico, 2016

Wortmann Weltge, Sigrid. *Bauhaus-Textilien: Kunst und Künstlerinnen der Webwerkstatt.* Schaffhausen: Edition Stemmle, 1993.

特定藝術家參考資料

所有上過包浩斯學校的女性之基本資料都可從下列網址取得：https://forschungsstelle.bauhaus.community/ index_images.html.

（中文編按：上述網址目前已失效，另外這個網頁能夠查詢一些包浩斯資料。https://forschungsstelle.bauhaus.community/）

此書調查的主要來源為檔案館及下列文字。

ALBERS, ANNI

Albers, Anni. *On Designing.* New Haven: Pellango Press, 1959.

Albers, Anni. *On Weaving.* Middletown: Wesleyan University Press, 1965.

Albers, Anni. *Bildweberei, Zeichnung, Druckgrafik.* Düsseldorf: Kunstmuseum, and Berlin: Bauhaus-Archiv, 1975.

Coxon, Ann, Briony Fer, and Maria Müller-Schareck, eds. *Anni Albers.* London: Tate, 2018.

Danilowitz, Brenda, and Nicholas Fox Weber, eds. *Anni Albers: Selected Writings on Design.* Middletown: Wesleyan University Press, 2000.

Danilowitz, Brenda, and Heinz Liesbrock, eds. *Anni and Josef Albers. Latin American Journeys.* Ostfildern: Hatje Cantz, 2007.

Danilowitz, Brenda. *Anni Albers. Notebook 1972–1980.* New York: David Zwirner, 2017.

Fox Weber, Nicholas, and Pandora Tabattabai Asbaghi. *Anni Albers.* New York: Guggenheim, 1999.

Gardner Troy, Virginia. *From Bauhaus to Black Mountain: Anni Albers and Ancient American Art.* Aldershot: Ashgate, 2002.

Helfenstein, Josef, and Henriette Mentha. *Josef und Anni Albers: Europa und Amerika.* Cologne: DuMont, 1998.

ARNDT, GERTRUD

Das verborgene Museum, ed. *Photographien der Bauhaus-Künstlerin Gertrud Arndt.* Berlin: Das verborgene Museum, 1994.

Wolsdorff, Christian. *Eigentlich wollte ich ja Architekt werden: Gertrud Arndt als Weberin und Photographin am Bauhaus 1923–31.* Berlin: Bauhaus-Archiv, 2013.

BÁNKI, ZSUSZKA

Bánki, Esther. "'Denn Du denkst doch nicht etwa, daß eine Frau ein Haus bauen kann.' Das Leben der Architektin *Zsuzsanna Bánki (1912–1944)."* In: *Entfernt: Frauen des Bauhauses während der NS-Zeit.* 159–174.

BAYER, IRENE

Rössler, Patrick. *Herbert Bayer: Die Berliner Jahre –Webegrafik 1928–1938.* Berlin: Vergangenheitsverlag, 2013.

Rössler, Patrick, and Gwen Chanzit. *Der einsame Großstädter: Herbert Bayer: eine Kurzbiografie.* Berlin: Vergangenheitsverlag, 2014.

BERGER, OTTI

Berger, Otti. "Stoffe im Raum." In: ReD 3, no. 5 (1930); reprinted in *Das Bauhaus webt. Die Textilwerkstatt am Bauhaus.* Magdalena Droste and Manfred Ludewig, eds. Berlin: Bauhaus-Archiv, 1998. 224–225.

Lösel, Regina. "Die *Textildesignerin Otti Berger* (1898–1944): Vom Bauhaus zur Industrie." In: Textildesign: Voysey, Endell, Berger. Anne Wauschkuhn, Elke Torspecken, Regina Lösel, eds. Berlin: Ed. Ebersbach, 2002. 215–294.

Lucadou, Barbara von. "Otti Berger: Stoffe für die Zukunft." In: *Wechselwirkungen: Ungarische Avantgarde in der Weimarer Republik.* Marburg: 1986. 301–311.

BEYER-VOLGER, LIS

Keß, Bettina. "Eine Bauhaus-Absolventin in Würzburg: Lis Beyer." In: *Tradition und Aufbruch: Würzburg und die Kunst der 1920er Jahre.* Bettina Keß, ed. Würzburg: Königshausen & Neumann, 2003. 137–141.

Rössler, Patrick, and Anke Blümm. "Soft Skills and Hard Facts: A Systematic Overview of Bauhaus Women's Presence and Roles." In: *Bauhaus Bodies.* Forthcoming.

BLÜHOVÁ, IRENA

Secklehner, Julia. "A School for Becoming Human": The Socialist Humanism of Irene Blühová's Bauhaus Photographs." In: *Bauhaus Bodies.* forthcoming.

Škvarna, Dušan, Václav Macek, and Iva Mojžišová, eds. *Irena Blühová.* Martin: Vydavateľstvo Osveta, 1992.

BOTH, KATT

Maasberg, Ute, and Regina Prinz. "Katt Both: Mobil und Flexibel." In: *Die neuen kommen! Weibliche Avantgarde in der Architektur der zwanziger Jahre.* Hamburg: Junius, 2005. 73–78.

BRANDT, MARIANNE

Brockhage, Hans and Reinhold Lindner. *Marianne Brandt: "Hab ich je an Kunst gedacht."* Chemnitz: Chemnitzer Verlag. 2001.

Otto, Elizabeth. *Tempo, Tempo! The Bauhaus Photomontages of Marianne Brandt.* Berlin: Bauhaus-Archiv and Jovis Verlag, 2005.

Weber, Klaus, ed. *Die Metallwerkstatt am Bauhaus.* Berlin: Bauhaus Archiv, 1992.

Wynhoff, Elisabeth, ed. *Marianne Brandt: Fotografieren am Bauhaus.* Ostfildern: Hatje Cantz, 2003.

DAMBECK-KELLER, MARGARETE

Keller, Walter M. *Lebensbilder meiner Mutter: Margret Keller-Dambeck 1908–1952.* Göppingen: Keller, 2017.

DICKER-BRANDEIS, FRIEDL

Heuberger, Georg. *Vom Bauhaus nach Terezin: Friedl Dicker-Brandeis und die Kinderzeichnungen aus dem Ghetto-Lager Theresienstadt.* Frankfurt a.M.: Jüdisches Museum, 1991.

Makarova, Elena. *Friedl Dicker-Brandeis, Vienna 1898-Auschwitz 1944.* Beverly Hills: Tallfellow Press, 1999.

Otto, Elizabeth. "Passages with Friedl Dicker Brandeis: From the Bauhaus through Theresienstadt." *Passages of Exile.* Eds. Burcu Dogramaci and Elizabeth Otto. Munich: Edition Text + Kritik, 2017. 230–51.

DRIESCH-FOUCAR, LYDIA

Driesch-Foucar, Lydia. "The Dornburg Pottery and the Weimar Bauhaus 1919–1923." In: Dean and Geraldine Schwarz, eds., *Marguerite Wildenhain and the Bauhaus: An Eyewitness Anthology.* Louisville: South Bear Press, 2007. 116–120.

FEHLING, ILSE

Dürr, Bernd, ed. *Ilse Fehling: Bauhaus, Bühne, Akt, Skulptur, 1922–1967.* Munich: Galerie Bernd Dürr, 1990.

FRIEDLAENDER WILDENHAIN, MARGUERITE

Becker, Ingeborg, and Claudia Kanowski. *Avantgarde für den Alltag: Jüdische Keramikerinnen in Deutschland 1919–1933, Marguerite Friedlaender-Wildenhain, Margarete Heymann-Marks, Eva Stricker-Zeisel.* Berlin: Bröhan-Museum, 2013.

Rössler, Patrick, and Anke Blümm. "Soft Skills and Hard Facts: A Systematic Overview of Bauhaus Women's Presence and Roles." In: *Bauhaus Bodies.* Forthcoming.

Schwarz, Dean and Geraldine. *Marguerite Wildenhain and the Bauhaus: An Eyewitness Anthology.* Louisville: South Bear Press, 2007.

GROPIUS, ISE

Breuer, Gerda, and Annemarie Jaeggi, eds. *Walter Gropius Amerikareise 1928.* Berlin: Bauhaus-Archiv, 2008.

Gropius Johansen, Ati. *Walter Gropius: The Man Behind the Ideas.* Boston: Historic New England 2012.

Gropius Johansen, Ati. *Ise Gropius.* Boston: Historic New England 2013.

Isaacs, Reginald R. *Walter Gropius: Der Mensch und sein Werk.* 2 vols., Berlin: Mann, 1983–1984.

Rössler, Patrick, and Gwen Chanzit. *Der einsame Großstädter: Herbert Bayer: eine Kurzbiografie.* Berlin: Vergangenheitsverlag, 2014.

Rössler, Patrick. *The Bauhaus and Public Relations: Communication in a Permanent State of Crisis.* New York: Routledge 2014.

Valdivieso, Mercedes. "Frau Bauhaus: Ise Gropius and Her Role at the Bauhaus." In: *Bauhaus Bodies.* Forthcoming.

GROSCH, KARLA

Funkenstein, Susan. "Paul Klee and the New Woman Dancer: Gret Palucca, Karla Grosch, and the Gendering of Constructivism." In: *Bauhaus Bodies.* Forthcoming.

Graf, Seraina. "Karla Grosch – eine Spurensuche." In: *Zwitscher-Maschine: Journal on Paul Klee / Zeitschrift für internationale Klee-Studien* 5 (2018). 17–46. [online: http://doi.org/10.5281/zenodo.1213784]

Kleinknecht, Inga. "Karla Grosch: 'Bauhausmädel,' Tänzerin und Sportmädel am Bauhaus." In: *Bauhaus: Beziehungen Oberösterreich.* Inga Kleinknecht, ed. Weitra: Verlag Bibliothek der Provinz, 2017. 84–97.

Pichit, Halina. "'Der Lenz ist da!' Das 'Deutsche Theater,' Paul Klee und Karla Grosch: Ein unbekanntes Kapitel im Leben des Schauspielers, Kabarettisten und Lyrikers Max Werner Lenz." In: *Jahresbericht 2009/2010.* Stadtarchiv Zürich, ed. Zürich: Stadtarchiv 2011. 215-254.

GRUNOW, GERTRUD

Burchert, Linn. "The Spiritual Enhancement of the Body: Johannes Itten, Gertrud Grunow, and Mazdaznan at the Early Bauhaus." In: *Bauhaus Bodies.* Forthcoming.

Radrizzani, René. *Die Grunow-Lehre: Die bewegende Kraft von Klang und Farbe.* Wilhelmshaven: Florian Nötzl, 2004.

Vadillo Rodríguez, Marisa. "La Música en la Bauhaus (1919–1933): Gertrud Grunow como profesora de Armonía: La Fusión del Arte, el Color y Sonido." *In: Anuario Musical* 71 (2016). 223–232.

HEYMANN-LOEBENSTEIN-MARKS, MARGARETE

Becker, Ingeborg, and Claudia Kanowski. *Avantgarde für den Alltag: Jüdische Keramikerinnen in Deutschland 1919-1933, Marguerite Friedlaender-Wildenhain, Margarete Heymann-Marks, Eva Stricker-Zeisel.* Berlin: Bröhan-Museum, 2013.

Hudson-Wiedenmann, Ursula. *Haël-Keramik: wenig bekannt, bei Sammlern hoch geschätzt.* Velten: Ofen-und Keramikmuseum, 2006.

Hudson-Wiedenmann, Ursula, and Judy Rudoe. "Grete Marks, Artist Potter." In: *The Decorative Arts Society 1850 to the Present* 26.1 (2002). 101–119.

Weber, Klaus, ed. *Keramik und Bauhaus.* Berlin: Bauhaus-Archiv and Kupfergraben Verlagsgesellschaft mbH, 1989.

HENRI, FLORENCE

Du Pont, Diana. *Florence Henri: Artist Photographer of the Avant-Garde.* San Francisco: San Francisco Museum of Art, 1990.

Krauss, Rosalind. "The Photographic Conditions of Surrealism." In: *October* 19 (Winter 1981). 3–34.

Zelich, Christina et al, *Florence Henri: Mirror of the Avant-Garde, 1927–40.* New York: Aperture, and Paris: Jeu de Paume, 2015.

HOLLÓS-CONSEMÜLLER, RUTH

Herzogenrath, Wulf, and Stefan Kraus, eds. *Erich Consemüller: Fotografien Bauhaus-Dessau.* München: Schirmer/Mosel 1989.

Thönissen, Anne. "'Design ist kein Beruf, Design ist eine Haltung': Ruth Hollós-Consemüller und die Herforder Teppichfabrik." In: *Der Remensnider: Zeitschrift für Herford und das Wittekindsland* 27 (1999), No. 3. 14–18.

HUBBUCH, HILDE

Eskildsen, Ute. *Fotografieren hieß teilnehmen: Fotografinnen der Weimarer Republik.* Essen: Museum Folkwang, 1995.

Honnef, Klaus, and Frank Weyers. *Und sie haben Deutschland verlassen . . . müssen: Fotografen und ihre Bilder 1928–1997.* Cologne: Proag, 1997. 250–51

Koschkar, Karin. "Hilde Hubbuch: zwischen Karlsruhe, Dessau und New York." In: *Karl Hubbuch und das Neue Sehen.* Ulrich Pohlmann and Karin Koschkar, eds. München: Schirmer-Mosel/Münchener Stadtmuseum, 2011. 188–91.

KALLIN FISCHER, GRIT

Boyer, Patricia Eckert, and Karin Anhold. *Grit Kallin-Fischer: Bauhaus and Other Works.* New Brunswick: Zimmerli Museum/Rutgers University Press, 1986.

Eskildsen, Ute. *Fotografieren hieß teilnehmen: Fotografinnen der Weimarer Republik.* Essen: Museum Folkwang, 1995.

KÁRÁSZ, JUDIT

Iparmüveszeti Múzeum, ed. *Judit Kárász (1912–1977).* Budapest: Fotoi 1987.

Kærulf Møller, Lars and Finn Terman Frederiksen, eds. *Judit Kárász: Fotografien von 1930 bis 1945.* Bornholms: Bornholms Kunstmuseum, 1994.

KOCH-OTTE, BENITA

Below, Irene. "Vereitelte Karrieren im Umbrich der Zeit: Benita Koch-Otte (1892-1976)." In: *Entfernt: Frauen des Bauhauses während der NS-Zeit.* 69–94.

Herzogenrath, Wulf, and Werner Pöschel, eds. *Vom Geheimnis der Farbe: Benita Koch-Otte, Bauhaus, Burg Giebichenstein, Bethel.* Bielefeld: Gieseking, 1972.

Schneider, Katja. *Burg Giebichenstein: Die Kunstgewerbeschule unter Leitung von Paul Thiersch und Gerhard Marcks 1915 bis 1933.* Weinheim: VCH, 1992.

LEISCHNER, MARGARET

Conlan, Frank. "Margaret Leischner (1907–1970): A Bauhaus Designer in Newbridge, Co. Kildare." In: *Creative Influences. Selected Irish-German Biographies.* Joachim Fischer and Gisela Holfter, eds. Trier: Wissenschaftlicher Verlag, 2009. 99–108.

Dogramaci, Burcu. "Bauhaus-Transfer: Die Textildesignerin Margarete Leischner (1907–1970) in Dessau und im britischen Exil." In: *Entfernt: Frauen des Bauhauses während der NS-Zeit.* 95–116.

LEITERITZ, MARGARET

Hohmann, Claudia, ed. *Margaret Camilla Leiteritz: Bauhauskünstlerin und Bibliothekarin.* Frankfurt a. M.: Museum für Angewandte Kunst, 2004.

Lindemann, Klaus, ed. *Die Bauhaus-Künstlerin Margaret Leiteritz: Gemalte Diagramme.* Karlsruhe: Info, 1993.

Mühlmann, Heinrich P., ed. *Margaret Camilla Leiteritz: Studium am Bauhaus.* Bramsche: Rasch, 2006.

LEUDESDORFF-ENGSTFELD, LORE

Goergen, Jeanpaul. *Walter Ruttmann: Eine Dokumentation.* Berlin: Freunde der Deutschen Kinemathek, 1989.

Schilling, Susanne. *Die Bauhausschülerin Lotte Leudesdorff: Leben und Werk.* Master thesis, University of Halle, 2009.

Steffen, Kai [Lore Leudesdorff]. *Unter dem weiten Himmel.* Düsseldorf: Bour, undated [c. 1970].

MEYER-BERGNER, LENA

Baumann, Kristen. "Weben nach dem Bauhaus: Bauhaus-Weberinnen in den dreißiger und vierziger Jahren." *Das Bauhaus Webt: Die Textilwerkstatt am Bauhaus.* Ed. Magdalena Droste with the Bauhaus collections of Weimar, Dessau, and Berlin. Berlin: Verlag Berlin, 1998. 43–51.

Volpert, Astrid. "Hannes Meyers starke Frauen der Bauhauskommune am Moskauer Arbatplatz 1930–1938." *"Als Bauhäusler sind wir suchende": Hannes Meyer (1889–1954), Beiträge zu seinem Leben und Wirken.* Bernau: Bundesschule Bernau bei Berlin, 2013. 41–54.

MEYER-WALDECK, WERA

Hérvas y Heras, Josenia. "Eine Bauhaus-Architektin in der BRD: Wera Meyer-Waldeck." In: *Frau Architekt.* 166–171.

MITTAG-FODOR, ETEL

Mittag-Fodor, Etel. *Not an unusual Life, for the Time and the Place/Ein Leben, nicht einmal ungewöhnlich für diese Zeit und diesen Ort.* Berlin: Bauhaus-Archiv Berlin, 2014.

Stutterheim, Kerstin. *Interviews with Etel Mittag-Fodor: Sound files.* [online: https://vimeo.com/channels/814591]

MOHOLY, LUCIA

Moholy, Lucia. *Marginalien zu Moholy-Nagy: Dokumentarische Ungereimtheiten.* Krefeld: Scherpe, 1972

Sachsse, Rolf. "Die Frau an seiner Seite. Irene Bayer und Lucia Moholy als Fotografinnen." In: *Fotografieren hieß teilnehmen.* 67–75.

Sachse, Rolf. *Lucia Moholy: Bauhaus-Fotografin.* Berlin: Bauhaus-Archiv, 1999.

Schuldenfrei, Robin. "Bilder im Exil: Lucia Moholys Bauhaus-Negative und die Konstruktion des Bauhaus-Erbes." In: *Entfernt: Frauen des Bauhauses während der NS-Zeit.* 252–274.

Schuldenfrei, Robin. "Images in Exile: Lucia Moholy's Bauhaus Negatives and the Construction of the Bauhaus Legacy." In: *History of Photography* 37 (2013). 182–203.

Valdivieso, Mercedes. "Eine 'symbiotische Arbeitsgemeinschaft' und die Folgen: Lucia und László Moholy-Nagy." In: *Liebe Macht Kunst: Künstlerpaare im 20. Jahrhundert.* Ed. Renate Berger. Cologne: Böhlau, 2000. 63–83.

REICH, LILLY

Günther, Sonja. *Lilly Reich 1885–1947. Innenarchitektin, Designerin, Ausstellungsgestalterin.* Stuttgart: Deutsche Verlagsanstalt, 1988.

Hochman, Elaine S. *Architects of Fortune: Mies van der Rohe and the Third Reich.* New York: Fromm, 1990.

McQuaid, Matilda. *Lilly Reich, Designer and Architect.* New York: Museum of Modern Art, 1996.

Lange, Christiane. *Mies van der Rohe & Lilly Reich: Möbel und Räume.* Ostfildern: Hatje Cantz, 2007.

REICHARDT, MARGARETHA

Menzel, Ruth. *Margaretha Reichardt.* Erfurt: Galerie am Fischmarkt, 1985 (Monographien, no. 8).

Kreis Weimarer Land and Anger-Museum Erfurt, eds. *Margaretha Reichardt, 1907–1984: Textilkunst.* Erfurt: Kunsthaus Avantgarde/ Kulturhof Krönbacken, 2009.

SCHEPER-BERKENKAMP, LOU

Scheper, Renate. *Farbenfroh! Die Werkstatt für Wandmalerei am Bauhaus.* Berlin: Bauhaus-Archiv, 2005.

Scheper, Renate. *Phantastiken: Die Bauhäuslerin Lou Scheper-Berkenkamp.* Berlin: Bauhaus-Archiv, 2012.

SCHWERIN, RICARDA

Schwerin, Jutta. *Ricardas Tochter: Leben zwischen Deutschland und Israel.* Leipzig: Spector Books, 2012.

Sonder, Ines. "Vom Bauhaus nach Jerusalem: Die Fotografin Ricarda Schwerin (1912–1999)." In: *Entfernt: Frauen des Bauhauses während der NS-Zeit.* 197–211.

Sonder, Ines, Werner Möller, and Ruwen Egri, *Vom Bauhaus nach Palästina: Chanan Frenkel. Ricarda und Heinz Schwerin.* Leipzig: Spector Books, 2013 (Bauhaus Taschenbuch 6).

SOUPAULT, RÉ

März, Ursula. "*Du lebst wie im Hotel": Die Welt der Ré Soupault.* Heidelberg: Wunderhorn, 1999.

Heroldt, Inge, Ulrike Lorenz, and Manfred Metzner, eds. *Ré Soupault: Künstlerin im Zentrum der Avantgarde.* Heidelberg: Wunderhorn, 2011.

Emmert, Claudia, Manfred Metzner, and Frank-Thorsten Moll. *Ré Soupault: Das Auge der Avantgarde.* Heidelberg: Wunderhorn, 2015.

STAM-BEESE, LOTTE

Damen, Hélène, and Anne-Mie Devolder. *Lotte Stam-Beese, 1903–1988: Dessau, Brno, Charkow, Moskou, Amsterdam, Rotterdam.* Rotterdam: De Hef, 1993.

Oosterhof, Hanneke. *Lotte Stam-Beese: Engagierte Architektin und Stadtplanerin." In: Frau Architekt.* 178–187.

STERN, GRETE

Marcoci, Roxana and Sarah Hermanson Meister. *From Bauhaus to Buenos Aires: Grete Stern and Horacio Coppola.* New York: Museum of Modern Art, 2015.

Sandler, Clara, and Juan Mandelbaum. "Grete Stern (1904–1999)." In: *Jewish Women's Archive.* [online: https://jwa.org/encyclopedia/article/stern-grete]

STEYN, STELLA

Kennedy, S.B. *Stella Steyn: A Retrospective View with an Autobiographical Memoir.* Dublin: Gorry Gallery, 1995.

STÖLZL, GUNTA

Baumhoff, Anja. "Vereitelte Karrieren im Umbruch der Zeit: Gunta Stölzl (1897–1983)." In: *Entfernt: Frauen des Bauhauses während der NS-Zeit.* 51–68.

Droste, Magdalena, and Bauhaus-Archiv Berlin, eds. *Gunta Stölzl: Weberei am Bauhaus und aus eigener Werkstatt.* Berlin: Bauhaus-Archiv, 1987.

Radewaldt, Ingrid, and Monika Stadler, eds. *Gunta Stölzl – Meisterin am Bauhaus Dessau. Textilien, Textilentwürfe und freie Arbeiten.* Stiftung Bauhaus Dessau, Ostfildern-Ruit, 1997

Radewaldt, Ingrid. *Gunta Stölzl: Pionierin der Bauhausweberei.* Wiesbaden: Verlagshaus Römerweg, 2018.

Stadler, Monika, and Yael Aloni, eds. *Gunta Stölzl: Bauhausmeister.* Ostfildern: Hatje Cantz, 2009

TOMLJENOVIĆ, IVANA

Koščević, Želimir. *Ivana (Koka) Tomljenović: Bauhaus Dessau, 1929-1930.* Zagreb: Galerije Grada Zagreba, 1983.

Mehuliić, Leila. *Ivana Tomljenović: Meller: A Zagreb Girl at the Bauhaus.* Zagreb: City Museum, 2010.

Mehulić, Leila. *Bauhaus Ivana Tomljenović: Meller: Works from The Marinko Sudac Collection.* Zagreb: Radnička Galerija, 2012.

Pejić, Bojana. "*Bauhaus in 57 Seconds*: Ivana Tomljenović, the Moving Image, and the Avant-Garde Film-Net Around 1930." In: *Bauhaus: Networking Ideas and Practice.* Zagreb: Museum of Contemporary Art, 2015. 94–119.

TUDOR-HART, EDITH

Forbs, Duncan, ed. *Edith Tudor-Hart: In the Shadow of Tyranny.* Ostfildern: Hatje Cantz, 2013.

Jungk, Peter Stephan. *Die Dunkelkammern der Edith Tudor-Hart: Geschichten eines Lebens.* Frankfurt a.M.: S. Fischer, 2015.

Jungk, Peter Stephan, Dir., Film: *Tracking Edith* 2016, Peartree Entertainment.

Suschitzky, Wolf. *Edith Tudor Hart: The Eye of Conscience.* London: Dirk Nishen 1987.

ULLMANN-BRONER, BELLA

Kunstvilla and Andrea Dippel, eds. *Unsere Künstler am Bauhaus: Bella Ullmann-Broner und Rudolf Ortner.* Nürnberg: Kunstvilla, 2019.

VAN DER MIJLL DEKKER, KITTY

Boot, Caroline, and Karla Olgers. *Bauhaus. De weverij en haar invloed in Nederland.* Tilburg: Nederlands Textielmuseum, 1988.

Boot, Caroline, and Vimal Korstjens. *In het spoor van het Bauhaus. Weefwerk van Kitty van der Mijll Dekker.* Tilburg: Textielmuseum, 2007

Groot, Marjan Hester. *Vrouwen in de vormgeving in Nederland 1880–1940.* Rotterdam: 010 Publishers, 2007.

YAMAWAKI, MICHIKO

Čapková, Helena. "Bauhaus and Tea Ceremony: A Study of Mutual Impact in Design Education in Germany and Japan in the Interwar period." In: Stolte, Carolien and Yoshiyuki Kikuchi, eds., *Eurasian Encounters: Museums, Missions, Modernities.* Amsterdam: Amsterdam University Press, 2017. 103–120.

Yamawaki, Michiko. *Bauhausu to Chanoyu* (Bauhaus and Tea Ceremony). Tokyo: Shinchosha, 1995.

致謝 —— Acknowledgments

創作《包浩斯的女性藝術家：45位被遺忘的女性紀錄》需要大量的佐證資料，如果沒有來自世界各地的檔案館與研究者，此企劃根本不可能完成。最重要的是，我們要感謝精選的客座作者，參與我們在書中的幾篇文章並分享其專業意見，這些作者包含艾斯德爾・班基（Esther Bánki）、安克・貝魯姆（Anke Blümm）、安德里亞・迪佩爾（Andrea Dippel）、博庫・多拉瑪奇（Burcu Dogramaci）、瑪格達蕾娜・德羅斯特（Magdalena Droste）、烏爾・穆勒（Ulrike Müller）、英格麗德・瑞德瓦爾特（Ingrid Radewaldt）和茱莉亞・塞克雷納（Julia Secklehner）。我們由衷地感謝柏林包浩斯檔案館首席攝影檔案保管員薩賓・赫曼（Sabine Hartmann）的支持，以各種方式幫助我們取得包浩斯鮮少人知的那一面資料。也相當感謝蘇珊娜・布魯（Zuzana Blüh）、史蒂芬・康賽穆勒（Stephan Consemüller）、吉賽拉・朱耶許（Gisela Driesch）、喬西尼亞・埃爾瓦斯和赫拉斯（Josenia Hervás y Heras）、沃爾特・凱勒（Walter Keller）、史蒂芬・留德斯多夫（Stephan Leudesdorff）、亨利・彌爾曼（Heinrich Mühlmann）與艾倫・肖恩（Allen Shawn）提供其家人的資料。

感謝海莉・奧普特（Hayley Haupt）將德語文章翻譯成英文，也銘謝千尋・赫克曼（Chihiro Heckman）協助提供山脇道子（Michiko Yamawaki）一文研究資料。還有我們的學術機構所給予的機會追查這些研究足跡。對我（伊莉莎白・奧托）的請託，國家人文中心（National Humanities Center）的法蘭克・凱南研究協會（Frank H. Kennan Fellowship）更撥冗寫作，圖書館員布魯克・安德拉德（Brooke Andrade）、莎拉・哈里斯（Sarah Harris）與喬・米利洛（Joe Milillo）亦大力協助研究，還有母校紐約州立大學水牛城分校（State University of New York at Buffalo）的支持同等重要，上述缺一不可。而若沒有愛爾芙特大學（University of Erfurt）中這些人的不斷支持，派翠克・洛斯勒的工作根本不可能完成，包含校長沃爾特・鮑爾-瓦布內格（Walter Bauer-Wabnegg）、榮譽校長安德烈亞斯・布勞斯（Andreas Brauns）、大學圖書館館長珈柏・庫勒斯（Gabor Kuhles），與負責媒體傳播和研究的蘇珊・維爾納（Susanne Werner）。最後，由衷感謝喬（Jo）和喬恩・里彭（Jon Rippon），以及從一剛開始就相信這個企劃且勇敢創新嘗試的帕拉佐出版社（Palazzo Editions）全體人員。

此書謹獻給世界各地的包浩斯女性，不管是先前章節介紹過的，或其他等候被發掘的。這些女性使得包浩斯成為與眾不同、生氣勃勃且永恆的機構；她們充分展現包浩斯，以及身為女性的精神本質。

Picture Credits

T: Top B: Bottom L: Left R: Right

Alamy P117B Photo © WS Collection / Alamy Stock Photo // P154T Photo © allOver images / Alamy Stock Photo Angermuseum, Erfurt P93L, P93R, P94 © Nachlass Margaretha Reichardt (Estate of Margaretha Reichardt), Gisela Kaiser, Erfurt 2019 Arnold, Dr. Helga P114B © Dr. Helga Arnold Baanders, Ambrosius P149 Bard College Archives and Special Collections P161B Photo courtesy of Jutta Schwerin Bauhaus-Archiv Berlin P6 © Estate of T. Lux Feininger // P9 Photo: Markus Hawlik © Ursula Kirsten-Collein // P11 © DACS 2018 // P13TL © Alexandra Hildebrandt, Chairwoman of the Board of Mauermuseum-Wall Museum-Museum Haus at Checkpoint Charlie, Berlin // P18 Photo: Gunter Lepkowski © Charles S. Friedlaender, New York // P21B // P23T // P25 & P165T Photo: Atelier Schneider © DACS 2018 // P35TR Photo: Markus Hawlik © Gaby Fehling-Witting, Munich // P37 // P43T // P45T // P45B // P47TR Photo: Bauhaus-Archiv / Museum für Gestaltung, Berlin // P57L © DACS 2018 // P59R Estate of Gertrud Arndt © DACS 2018. Estate of Lucia Moholy © DACS 2018 // P59L © DACS 2018 // P60 Photo: Markus Hawlik © DACS 2018 // P61 © DACS 2018 // P62 © DACS 2018 // P65T © DACS 2018 // P65B Photo: Ulrike Müller 2008 // P66 Estate of Lucia Moholy © DACS 2018. Estate of Marcel Breuer © Tomas Breuer // P67T & P67B © DACS 2018 // P69B // P75B // P76TR // P79TL // P79B © Elisabeth Volger (born Beyer), courtesy of Prof. Dr.-Ing. Alexander H. Volger and Dr. Elisabeth Davids // P80 Estate of Marianne Brandt © DACS 2018 Estate of Lucia Moholy © DACS 2018 // P81 © DACS 2018 // P82 © DACS 2018 // P83 Photo: Markus Hawlik © DACS 2018 // P85 © DACS 2018 // P87 © Dr. Stephan Consemüller © P89B // P91B // P96 © DACS 2018 // P97L Photo: Atelier Schneider // P97R // P98 // P99 Photo: Fred Kraus // P101 Photo: Markus Hawlik // P105T © Galleria Martini and Ronchetti // P109T Photo: Markus Hawlik // P109B // P111 Photo: Markus Hawlik (new print) © DACS 2018 // P113 © Christof Pfau // P117T // P119T // P119BL // P119BR // P120 // P122/3 © Estate of T. Lux Feininger // P125 © Estate of T. Lux Feininger // P142T // P142B // P143 // P144 // P148 © Kitty van der Mijll Dekker / TextielMuseum, Tilburg NL // P179TL // P179TL © Heirs of Judit Kárász, Budapest // P181L © Irena Blühová (successors) / LITA, 2018 // P187TL © Irmela Schreiber, Karlsruhe Beit Terezin Museum, Kibbutz Givat Haim Ichud P16 Beyer, Constantin P95 Photo: Klaus G. Beyer, © Constantin Beyer, Weimar © Nachlass Margaretha Reichardt (Estate of Margaretha Reichardt), Gisela Kaiser, Erfurt 2019 Bridgeman Images P89TL Photo: Minneapolis Institute of Arts / Bridgeman Images Burg Giebichenstein University of Art and Design P17 Denver Art Museum P73

Photo: Herbert Bayer Collection and Archive Deutsches Architekturmuseum, Frankfurt am Main P114/5T Photo: Uwe Dettmar, Frankfurt am Main; Model builders: Julia Babczinski and Claudia Schmidt (TU Dresden); © Estate of Wera Meyer-Waldeck, Dr. Helga Arnold Estate of Bánki, Zsuszka P151, P152, P153, P154B © Archive Esther Bánki, The Netherlands Estate of Blühová, Irena P174, P175T, P175B, P176, P177 © Irena Blühová (successors) / LITA, 2018 Estate of Dambeck-Keller, Margarete P102 & P103 © Dambeck-Keller Estate Estate of Leiteritz, Margaret Camilla P10, P127, P128T, P128B © Heinrich P. Mühlmann, Margaret Camilla Leiteritz Estate Estate of Yamawaki, Michiko P167T, P167B, P168, P169, P170, P171 Bauhausu to Chanoyu (Bauhaus and Tea Ceremony), Tokyo: Shinchosha, 1995 © Estate of Michiko Yamawaki Galería Jorge Mara-La Ruche, Buenos Aires P165BL Estate of Grete Stern © Galería Jorge Mara-La Ruche, Buenos Aires. Estate of Ellen Auerbach © DACS 2018 Getty Images P35TL Photo: Sasha Stone / ullstein bild / Getty Images // P70 Photo © Robert M. Damora / Condé Nast Collection / Getty Images Getty Research Institute, Los Angeles P13TR, P182, P183L Harvard College P57R Photo: Imaging Department © President and Fellows of Harvard College © The Josef and Anni Albers Foundation / Artists Rights Society (ARS), New York and DACS, London 2018 // P124 Photo: Imaging Department © President and Fellows of Harvard College © Estate of T. Lux Feininger Herrero, Esteban and Hervás, Josenia P112 © Esteban Herrero and Josenia Hervás Historic New England P69T // P71L // P71R Hungarian Museum of Photography P173 & P179B © Heirs of Judit Kárász, Budapest Jewish Museum, Berlin P41 Photo: Jens Ziehe © Estate of Margarete Marks. All Rights Reserved, DACS 2018 The J. Paul Getty Museum, Los Angeles P77 // P126 © Estate of T. Lux Feininger Klassik Stiftung Weimar P7 Klassik Stiftung Weimar, Fotothek // P21T // P24 © DACS 2018 // P43B © v. Bodelschwinghsche Stiftungen Bethel // P86 © Dr. Stephan Consemüller Leudesdorff, Stephen P47TL © Phyllis Umbehr / Galerie Kicken Berlin / DACS 2018 // P49 © DACS 2018 // P51T & P51B Marinko Sudac Collection P135R, P136L, P136R, P138 Metzner, Manfred P53T, P54, P55 Photo: Manfred Metzner © DACS 2018 Museum of Applied Arts, Budapest P179TL © Heirs of Judit Kárász, Budapest Museum of Contemporary Art, Zagreb P135L & P137 Museum Folkwang, Essen P105BR Photo: © Museum Folkwang Essen - ARTOTHEK © Estate of Florence Henri, courtesy Galleria Martini & Ronchetti // P107T Photo: Museum Folkwang Essen - ARTOTHEK © Estate of Irene Bayer-Hecht // P163T Photo: Museum Folkwang Essen – ARTOTHEK // P163B & P185T Photo © Museum Folkwang Essen / ARTOTHEK © Estate of Grete Stern, courtesy Galería Jorge Mara-La Ruche, Buenos Aires Museum für Kunst und Gewerbe, Hamburg P23B © DACS 2018 The Museum of Modern Art, New York P121 & P187B Photo © The Museum of Modern Art, New York / Scala, Florence // P165BR Photo © The Museum of Modern Art, New York / Scala, Florence © Estate of Grete Stern, courtesy Galería Jorge Mara-La Ruche, Buenos Aires National Galleries of Scotland P131T Photo: National Galleries of Scotland © Copyright held jointly by Peter Suschitzky, Julia Donat & Misha Donat // P131B & P132 Photo: National Galleries of Scotland, presented by Wolfgang Suschitzky 2001 © Copyright held jointly by Peter Suschitzky, Julia Donat & Misha Donat Private Collection P13B, P38/9, P39, P40 photo: Dirk Urban/Stadt Erfurt © Estate of Margarete Marks. All Rights Reserved, DACS 2018 // P19 © Charles S. Friedlaender, New York // P48, P50, P75TR, P76TL, P105BL, P185B, P187TR // P53B & P75TL © DACS 2018 // P133 © Copyright held jointly by Peter Suschitzky, Julia Donat & Misha Donat RKD - Netherlands Institute for Art History, The Hague P147B Sammlung Driesch, Cologne P29, P30, P31, P33 Friedrichsdorf Archives Stadtarchiv Celle P89TR Photo: Haesler Archive Stadtarchiv Nürnberg P141 Collection of the Stadtarchiv Nürnberg, C 21/X Nr. 9/591 Städtische Galerie Karlsruhe P181R St Annen-Museum, Lübeck P26L © DACS 2018 Stiftung Bauhaus Dessau P8 // P26R Estate of Gunta Stölzl © DACS 2018. Estate of Uwe Jacobshagen © DACS 2018 // P79TR © Elisabeth Volger (born Beyer), courtesy of Prof. Dr.-Ing. Alexander H. Volger and Dr. Elisabeth Davids // P84 Estate of Marianne Brandt © DACS 2018 Estate of Uwe Jacobshagen © DACS 2018 // P91T // P107B Joint Owner: Federal Republic of Germany / Acquired with support of the Federal Republic of Germany // P157 © Archiv Jutta Schwerin, Berlin // P158, P160, P161T © Estate of Ricarda Schwerin, courtesy Jutta Schwerin, Berlin & Tom Segev, Jerusalem // P159 © Estate of Alfred Bernheim TextielMuseum, Tilburg NL P147TL & P147TR University for Applied Arts, Vienna P15 © University for Applied Arts Vienna, Collection and Archive Vorwerk-Archiv P145L & P145R Design No. 2434/6 Allen Shawn Estate P183R Zagreb City Museum P138/9 Zentrum Paul Klee P122 Collection of the Zentrum Paul Klee, Bern, gift of the Klee family // © Klee-Nachlassverwaltung, Hinterkappelen.

The publishers and authors have endeavored to obtain the necessary permissions to reproduce all images. Should any have been overlooked we would be grateful for further information.